pruebas de contacto

raúl **rivero**

pruebas de contacto

Cubierta
Gutiérrez-Góngora

Editora: Nancy Pérez-Crespo
Co-editoras: Dra. Josefina Vento
                       Dra. Lillian Bertot
Diseño: Gutiérrez-Góngora
Composición: Guadalupe Méndez

Primera edición: Junio de 2003

©Raúl Rivero
Derechos reservados para todo el mundo.
©Nueva Prensa Cubana
4716 SW 75 Avenue, Miami, FL, USA.
Teléfono: 305.265.2210

ISBN: 0-9742473-0-8
Library of Congress Catalog Card Number:

A Blanca Reyes Castañón

Crónicas, entrevistas, apuntes
tomados por un hombre
que no pasea con un espejo,
sino con una cámara oculta,
por la atribulada sociedad cubana
de fin de siglo.

Dios iba delante

La ciudad de Guantánamo se fue metiendo en la noche y Luis Sánchez, cuando miró hacia atrás por última vez, vio unas luces que temblaban brevemente antes de perderse entre las lometas y las sombras. Las tres bicicletas chinas *Everready* estaban en la carretera de Ullao, y cada una llevaba dos hombres. De los seis, tres regresarían más tarde a la ciudad. Los otros, Luis, Gaspar y Alberto iban a jugarse la vida para llegar a territorio norteamericano, en la base militar de Caimanera.

A 30 kilómetros de Guantánamo, en un sitio sin nombre que ellos habían seleccionado previamente en nueve viajes de estudio, se despidieron. Era noche cerrada, pasadas las 8. Había una luna buena, clara y casi fija en el cielo.

Entre la carretera y el mar estaba un montecito noble y la posta uno de los guardafronteras cubanos. Había que dar un rodeo y hacer una travesía de 12 kilómetros de lomerío para llegar a la costa.

Luis, Gaspar y Alberto llevaban 12 hamburguesas McCastro —como llaman los cubanos, en sorna, a una torta de rancio sabor en forma de albóndiga—, de carne de cerdo y soya, tres botellas con limonada y la cámara de una goma de moto. Con esa logística entraron al monte.

Caminaron hasta las 4 de la madrugada, cuando la luna bajó y los dejó sin luz. Durmieron sobre la hierba y amaneció enseguida. Era el domingo 3 de diciembre de 1995 y aunque oficialmente Cuba estaba en invierno, un sol rojo, poderoso, estaba subiendo desde la Punta de Maisí.

Desayunaron unos pedazos de hamburguesas y tragos de limonada, en una loma llena de arbustos espinosos y piedras, desde dondé veían moverse a los soldados de una posta cubana.

Dormitaron y hablaron de los amigos y la familia y de las fiestas en Guantánamo, como si todo eso ya fuera parte del pasado. A Luis le dio miedo que el rostro de su mujer se le hiciera difuso en los recuerdos de los primeros encuentros en un parquecito y en el taller de cerámica de Camilo. Le dio miedo porque eso mismo le había pasado en Angola. Trataba de acordarse de ella, de reconstruirla íntegra, con gestos y olores y sonidos y Caritina aparecía y de repente era otra mujer o una niña, o una negra angolana que había visto pasar frente al campamento.

Estaban ahí esperando para hacer el último tramo hasta la costa.

La luna volvió y estuvo temprano alumbrando en el cielo sin nubes. Pero los miembros de la pequeña expedición fallaron dos veces en sus empeños de esa jornada. Primero, seleccionaron una zona muy alta y para llegar al agua había que saltar entre dos peñascos muy altos, peligrosos. En segundo lugar, Gaspar olvidó llevar una soga que se le había encargado en los preparativos.

En el salto hacia el playazo de arrecifes y arena turbia, Alberto estuvo a punto de caerse y matarse. Sobre las 10 de la noche llegaron a la costa y un mar fuerte, de olas grandes los estaba esperando.

Sabían que no podían alejarse a más de mil metros de la orilla para no perder la referencia del litoral. Había que orillar porque se hace más corto el trayecto y es más seguro. Antes de entrar al agua agotaron las vituallas.

Alberto miró hacía donde suponía que quedaba el resto de Cuba, Guantánamo, Santiago, Camagüey, Santa Clara, Matanzas y La Habana y dijo:
—Ahí les dejo el comunismo —Gaspar tenía calambres, Luis entró rezando.

Alberto no sabía nadar y se aferró a la pequeña cámara, Gaspar braceaba sin armonía pero se mantenía a flote. Luis, de tramo en tramo, remolcaba la cámara de Alberto que empezó a quejarse y delirar.

A las dos horas Luis comprendió que no avanzaban porque el mar se había levantado más y los devolvía siempre al mismo sitio. El quejido de Alberto ya era permanente y yacía sin fuerzas sobre la cámara. Había que volver a tierra porque no tenían puntos de referencia ni sabían dónde estaban.

Luis eligió un paraje donde supuso que estaba más cerca la costa cubana y hacia allí empezó a nadar mientras empujaba a Alberto. «Dios mío, dame fuerzas para salvar a este hombre», pensó Luis. «Dame fuerzas y serenidad».

Como el mar estaba bravo y no podía ver bien la línea de la tierra, Luis pensó que una ola los iba a lanzar contra el diente de perro. Pero enseguida sintió que se elevaba muy alto rodeado de una espuma amarga y suave. Cuando se recobró estaban los tres en tierra firme. Alberto, semi inconsciente y mudo. Gaspar, agotado y lleno de pequeñas heridas. Luis tenía un dolor muy grande en el pie izquierdo. A la altura del tobillo palpó un hueco profundo y húmedo que ardía como una brasa de candela.

El lunes 4 de diciembre el trío estaba otra vez en la costa de Cuba. Con el sol de frente, de rodillas sobre la piedra áspera Luis supo que estaba a 50 metros de la garita de los guardias cubanos: —Estamos presos, Dios mío, estamos presos —dijo.

Convencido de que sus dos amigos no iban a llegar a la base militar norteamericana, le habló a Gaspar para que sacara a Alberto hasta la carretera y regresaran a Guantánamo. Él se sentía con ánimos para intentarlo de nuevo.

Podían también llamar a los guardias y entregarse. Alberto despertó en ese momento y dijo que no regresaba ni se iba a entregar.

Decidieron entonces esconderse entre los arrecifes y esperar la noche para llegar a la zona de Estados Unidos. Quedaba por delante todo el día y ya no tenían agua ni comida.

Gaspar y Luis llevaron a Alberto a un lugar seguro y luego ellos seleccionaron sus escondites.

Luis, que tenía la pequeña cámara de goma, la disimuló entre unas ramas, muy cerca de donde él mismo casi se sepultó entre lajas de piedra y pequeños promontorios de arena.

Una voz desconocida, fuerte y autoritaria lo sacó del sueño: —García, busca los fusiles que aquí encontré a dos *hijoeputas*. —Oyó después a Gaspar—. ¿Para qué fusiles si ustedes son como cuarenta y nosotros dos?

Luis observó la escena desde su refugio. La imaginación lo ayudó a comprender los movimientos del drama porque sólo veía las botas de los militares pasar en una dirección y otra. Hasta que, a dos metros de sus ojos, comenzaron a caminar en orden, rumbo a la unidad de guardafronteras, las botas de los guardias en un desfile que se interrumpió cuando entraron en su campo visual los pies descalzos, sucios y heridos de Alberto y Gaspar.

Luis se quedó escondido todo el lunes. Después del mediodía escuchó bajar a otro soldado y lo vio pasar casi por encima de su cabeza. Cuando volvió el silencio absoluto se asomó con mucho cuidado y vio al hombre caminar por la costa, ya lejos, con un fusil AKM en el hombro.

Al anochecer tuvo deseos de lanzarse al mar pero esperó que de la garita sacaran el reflector para poder establecer el lugar exacto donde estaban los cubanos. La luz compacta del aparato comenzó a recorrer el mar alrededor de las 8 de la noche. Cuando la apagaron, Luis salió del hueco de piedra, recogió la cámara y caminó hacia el mar.

Estaba tranquilo, esta noche estaba muy tranquilo el mar y unas nubes blancas ocultaban a menudo la luna: —Buen Dios, usted delante —dijo Luis.

En el agua sintió las manos paralizadas, le dolía el pecho, tenía mareos y temblores, de momento estaba en su casa de Guantánamo y se iba acostar en su cama. Caritina le decía: «No te duermas, Luis, come algo, no te duermas, come algo».

«Estoy delirando, estoy loco», pensó y comenzó a nadar para la orilla. —Dios mío —gritó bien alto—, qué falta me hace un poco de agua y un pedazo de pan.

Empezó a llover, un aguacero tropical copioso y constante y Luis se volvió y abrió la boca y sintió el agua de la lluvia que le caía y lo iba calmando y fortaleciendo. Así llegó a tierra. Frente a él, en una piedra grande y firme pero semi oculto por la neblina de la lluvia estaba un cangrejo. Luis le dio con un pedazo de madera. Le dio duro tres veces y comenzó a triturarlo y a sacarle una sustancia gelatinosa y amarga que lo reconfortó.

Buscó un sitio seco y se acostó a dormir.

El martes 5 de diciembre Luis comprendió que había dormido a 200 metros de una posta cubana. Se sentía mejor, le dolía la herida y tenía arañazos y rayones por todo el cuerpo. En pleno día, con el sol ya afuera salió a buscar el mar. Nadó directamente rumbo a la base militar norteamericana o, por lo menos, hacia dónde él pensaba que estaba la base.

Nadó acompasadamente, adolorido y un poco confuso. Lo ayudaba saber que Dios iba con él porque todas las vicisitudes de las últimas horas las había vencido y se sentía cansado y enfermo pero con ánimo.

No podía distinguir nada en la costa porque había un saliente, una punta verde que entraba bastante en el mar. Nadó con fuerza y al sobrepasar la lengua de tierra vio la garita de los militares de Estados Unidos. Entonces nadó ya sin dolor, sin cansancio, como si tuviera 20 años y se bañara en el río Guaso, allá en Guantánamo y nadó ligero hasta que pudo leer en la pared de tablas de la caseta militar un cartel con grandes letras blancas que decía: «Bienvenido. Ha llegado a tierra de libertad».

Tres militares norteamericanos ayudaron a Luis a salir del agua. Lo esposaron bocabajo en el piso de un camión y lo condujeron a una dependencia de Inmigración de la base.

Las autoridades de Estados Unidos le facilitaron una muda de ropa (short[1], pulover[2] y calzoncillos). En el hospital le curaron las heridas. Estuvo 14 días esperando la decisión que «tenía que venir de Washington».

El día 18 de diciembre, a las 6 de la mañana, un oficial se presentó en el recinto donde estaba Luis detenido junto a otros 20 cubanos y le informó que en dos horas iba a volver a Cuba porque no se había aceptado su solicitud de asilo.

Los acuerdos migratorios entre Cuba y Estados Unidos, firmados el 12 de mayo de 1995, establecen la devolución a la isla de quienes intentan ingresar a territorio norteamericano de manera ilegal y no pueden probar que corren riesgo de cárcel en su país.

Dos horas después de la visita del oficial, Luis recogió un pequeño sobre de nailon con desodorante, jabón y unas maquinillas de afeitar y junto a tres compatriotas, dos de Santiago de Cuba y uno de Villa Clara, fue conducido a la zona fronteriza.

Allí le entregaron un documento que le permitía la entrada a la Oficina de Intereses de Estados Unidos en Cuba, para que realizara sus trámites legales de inmigración.

A las 8 de la mañana, 16 días después de haber salido de Guantánamo en bicicleta con Alberto y Gaspar, Luis Sánchez Díaz, 41 años, técnico medio en construcción, trabajador internacionalista en Angola por 26 meses, ex militante de la Unión de Jóvenes Comunistas, testigo de Jehová y padre de dos niños, avanzó hacia una raya blanca. Después de la raya trazada con pintura en el asfalto de una estrecha carretera está, otra vez, su patria.

Cuando dio el primer paso en Cuba se le acercó un policía y le dijo al oído: —Camina a mi lado, vista al frente y mucho cuidado con hacer un gesto.

—Así supe que estaba en mi país —me dice Luis esta mañana de abril de 1997, en La Habana.

—Sentí que algo muy agudo por dentro me oprimía, porque no podía entender cómo me jugué la vida tantas veces por llegar a los amigos y ellos mismos me volvían a entregar al enemigo.

Luis Sánchez Díaz fue sometido a interrogatorios por la policía política el día 19 de diciembre.

—Desde ese momento no me dejan tranquilo. Hay un oficial que se llama Diesel Castro que me intercepta a cada paso. Me citan, me envían anónimos. Por otra parte, las gestiones en la Oficina de Intereses tampoco prosperan. Vivo hostigado por la Seguridad, en medio del acoso, y los papeles legales no caminan.

En una entrevista con tres oficiales de la policía política, en enero, Luis cerró la conversación con este párrafo tajante: «Yo soy cubano. Si me quiero ir es porque me tienen trabajando en la construcción por un dinero que no me alcanza ni para comer. Ustedes me quitarán también el derecho a tener una vivienda porque aquí ustedes lo pueden todo. No nos vamos a entender, nunca nos vamos a entender. Yo estoy estudiando la *Biblia* dentro de mi congregación y eso es lo que me ha hecho cambiar. No me he podido bautizar por esta situación política que tengo, pero ese, el de Jehová será mi camino. Él es el único y el verdadero».

---

[1] Patalón corto
[2] Camiseta

Miami, Florida,
que estás **ahí** enfrente

¿Son unos locos aventureros los cubanos que se lanzan al mar entre los barcos de guerra de dos países? ¿Son simples apátridas anexionistas los miles de ciudadanos que le entregan a una *lotería*[1] su porvenir? ¡Qué país este caballeros! ¿Qué pasa en Cuba?

Pasa el comunismo tropical y su culto a la confrontación, pasa un capitalismo pasado por agua y elitista y pasa, hace 40 años, una guerra que atañe a los vivos, complica a los que están por nacer e involucra a nuestros antepasados desde que se fundó la nación.

Eso. Pasa todo eso y, además, una epidemia de incredulidad, de desilusión y de aburrimiento que tiene a la juventud aferrada a una palabra: irse. Y a los más viejos a otra: resignación.

Sucede que Jesús Labrador, un periodista de 42 años, que vive en la zona oriental de Manzanillo, tiene que salir todos los días a pescar a la bahía, en una recámara de tractor para vender los pescados y alimentar a su familia.

Y, también, que decenas de escritores y artistas fundamentales para la cultura cubana, agobiados por la burocracia, la torpeza y la arrogancia policial viven con la imagen en Cuba y los pinceles en el extranjero. La vivencia en La Habana y la computadora en Madrid, México o Miami.

Se impone una filosofía de la fuga porque ante la agudización de los problemas, ante la oscuridad del conflicto la gente sólo encuentra solución saliendo del país.

Este año, cuando se anunció en el diario *Granma* la nueva lotería de visas, un joven vecino de mi madre me preguntó si él podía optar por una de ellas a pesar de haber cumplido una sanción por robarse unos pollos.

—No, con antecedentes penales no tienes ninguna oportunidad —le dije.

—Chico, entonces lo mío es una balsa. Directo a la *Yuma*[2] en lo que sea porque aquí, por esos mismos pollos tampoco tengo nada que hacer.

Es una fiebre que produce delirio. En un pequeño poblado del sur de La Habana, el primer día de la imposición de las cartas para el famoso *bombo*[3], recibieron mil 500 sobres: —Llegó gente allí que me dejaron loca... —comentó una empleada—. Yo conozco aquí a todo el mundo, gente que yo ni me imaginé que quería irse.

Lázaro Ascuy tiene 22 años y quiere ser actor. —Figúrate, los que están ya no tienen trabajo. Yo como porque estoy con mi hermano por ahí, pintando casas. Para pintar por 20 pesos[4] diarios voy a pintar a Miami y vivo mejor y me visto y me alimento como yo quiera. Actor o pintor, pero allá. Fui el número uno en el correo de Carlos III y Belascoaín.

Pasa que la pobreza y la desesperanza no conocen de rangos sociales ni de niveles de cultura ni de extracción social en la Cuba de los 90.

Mientras políticos extranjeros hacen discursos en la televisión y firman convenios con la élite local, las personas preparan sus viajes, llaman a familiares y amigos en una efervescencia fatal. Y los desahuciados, los del último escalón, sin nadie que los reclame y sin posibilidades, los que no creen en la muerte, gastan todo su miedo en un viaje riesgoso para después vivir sin miedo.

He leído una estadística escalofriante, trabajada por expertos en la materia.

Ellos precisan que para el año 2010 Cuba tendrá unos 14 millones de habitantes: 9 dentro de la isla y 5 fuera.

Faltan 11 años para esa fecha de augurios trágicos, faltan 11 veranos y no creo que nadie resista tanto fuego.

---

[1]En referencia a la Lotería de Visas de Estados Unidos.
[2]En el leguaje coloquial cubano se refiere a Estados Unidos.
[3]Así le dicen los cubanos al sorteo o lotería de visas.
[4]Al cambio en 1999 equivalen a $1.00 US dólar.

Las canciones de **Rolando**

Un mediodía del verano de 1998 —unos 32 grados a la sombra— encontré a Rolando Martínez Valdés sentado en la mesa del comedor de su casa, en Miramar, vestido de traje y corbata. Pensé que estaba listo para asistir a un funeral, una boda o que viajaba a Europa o a Estados Unidos, de un momento a otro. Esas son las únicas circunstancias para que un cubano de estos tiempos se ponga un traje y se anude una corbata al cuello.

Pero no. Rolando simplemente acababa de almorzar y esperaba a un amigo para salir a conseguir unos pescados para la comida. No era su cumpleaños, no iba a retratarse para el pasaporte, nadie había muerto.

—Tú sabes lo que pasa —me dijo—, que a veces me despierto por la mañana con la prisión en la cabeza. Fueron muchos años encerrado y vestido de harapos y entonces me dan deseos de vestirme como una persona, verme elegante y limpio y civilizado y me visto así, sólo para eso, para estar aquí y hacer las mismas cosas de todos los días. Me siento mejor y ya por la tarde vuelvo al *jean* y al pulover sin problemas. Otras veces, de noche, me visto de traje y le doy una vuelta a la manzana, regreso a la casa y me pongo el short y a dormir. Los vecinos me miran un poco asombrados. El presidio te deja marcas. Esa es una de ellas para mí. Esa sensación de encierro y pobreza que me lanza a vestirme lo mejor que puedo y salir a la calle, lejos de las paredes.

Ese día le pedí que me diera una entrevista para este libro. La cercanía y el afecto que nos unen me impidieron siempre acosarlo para el encuentro, pero yo tenía una cómplice en la casa y cumplió muy bien su trabajo de colaboración para que la experiencia carcelaria de Rolando se conozca. Su esposa, la doctora Iraida de León, fundadora del Colegio Médico Independiente de Cuba, lo convenció y hace unos días me hizo llegar este relato que he querido dejar tal y como lo escribió porque llenarlo de afeites y arreboles literarios me pareció un obsceno trasiego con el dolor de este hombre cordial y tímido, complejo y amable que en sus años de confinamiento solitario cantaba boleros para engañar la soledad.

«Una noche de enero me pasó lo increíble. Trataré de contarlo, pero en realidad hace tanto, que ahora lo veo como una película, algo borroso. No me acuerdo bien, pero adelanto que se hizo de día doce años y ocho meses después. Es asombroso cómo la vida de un ser humano puede cambiar tan abruptamente.

»Como decía. Una noche del octavo día del año 1982 fui al encuentro del entonces jefe de la Sección de Intereses de Estados Unidos de América, con quien creí haber hablado por teléfono dos horas antes. ¡Qué equivocado estuve! Bajé de la ruta 110, en avenida 31 y calle 8, en Miramar, luego de pasar el túnel de Línea y, con pasos rápidos y confiados tomé por 7ma., rumbo al llamado 'puente de hierro' que comunica El Vedado con este otro barrio; pero antes de llegar al sitio indicado, dos autos frenaron bruscamente al borde de la acera y muchas manos, a la vez, me aferraron, registraron, esposaron y lanzaron al interior de uno de los vehículos, que se pusieron en marcha al instante.

»Tres meses en la jefatura del Departamento de Seguridad del Estado (conocido como Villa Marista por la escuela de curas que albergó en el pasado) y muchas promesas de ponerme en la calle si firmaba la declaración y reconocía que había hablado en múltiples ocasiones por teléfono con varias sedes diplomáticas, incluyendo la Oficina de Intereses, pidiendo asilo político a cambio de informaciones. Lo hice y, al poco tiempo, un carro celular[1] me llevó directo a la cárcel de Guanajay, situada en el pueblo de ese nombre, al oeste de la capital. Me ubicaron en la denominada sección de castigo o pabellón E, última celda del pasillo de los bajos, totalmente tapiada. Comienza la pesadilla.

»A los pocos días supuestas manos amigas me facilitan el contacto con presos políticos del pabellón C. Ya me piden ocho años de cárcel. Elaboro una larga carta al responsable de la Sección de Intereses, que trato de sacar de la prisión clandestinamente y lo que consigo es ponerme en manos de la Seguridad.

»Vuelta a Villa Marista. Esta vez, seis meses en solitario y el registro de nuevo de mi domicilio y amenazas de encarcelar a mi familia, presuntos cómplices. Presiones psicológicas. Apelaciones al arrepentimiento que no logran. Vuelta a la cárcel de Guanajay, la misma celda tapiada; ahora con la duda de si el fiscal pedirá pena de muerte o 30 años de prisión, pues me acusan de espionaje, más los otros ocho años por "hablar por teléfono», digo, "por violación del derecho de extraterritorialidad en sedes diplomáticas".

»Llevo tanto tiempo tapiado que me alegro cuando me dicen que tendré el juicio al día siguiente, ya sé que el fiscal pide 30 años. Estoy contento porque veré la calle por primera vez en 21 meses de incomunicación. Por supuesto que estaba equivocado de nuevo. Un camión cerrado herméticamente y media docenas de guardias.

»El juicio: 29 minutos exactos duró, incluyendo las conclusiones del fiscal, la defensa y dos o tres preguntas que me hicieron, en presencia de tres de mis familiares. Quedó concluso para sentencia y nuevamente llegué a mi celda con aquella rara sensación de abatimiento en los hombros, que acompaña al miedo intenso. Tres meses duró aquella extraña sensación; la sanción llegó por fin: 30 años. Mas no finalizó ahí la cuestión, pues comenzaron las suspicacias respecto a los 30 días que el fiscal tiene para apelar y *subir la parada*[2].

»Llevaba encerrado en esa celda 35 meses (que yo, mortificonamente, llamaba horas), cuando el guardia responsable de la sección de castigo me anunció que "mañana saldría de *cordillera*"[3]. Era domingo, muy temprano en la mañana, voy en un camión-jaula hermético, esposado de pies y manos y acompañado por unos diez guardias. No sé para donde voy, estoy muy asustado y alguien deja caer, malintencionadamente, que me llevan a fusilar, porque la sanción de 30 años estaba equivocada, que el fiscal había apelado, etc. Para entonces yo no sabía que los sábados y domingos no se fusila y que los que aguardan la ejecución de esa pena pueden estar tranquilos después de las 6 de la tarde, los fines de semana.

»¿Destino? Combinado del Este, edifico 3, pasillo de castigo y sancionado a la pena máxima en el tercer piso. Al día siguiente me pelan al cero[4] —como están los demás—. Vuelven las preguntas de si soy o no pena de muerte, y la zozobra y el miedo y el insomnio y el nerviosismo y la duda. Una semana más tarde hago mi entrada al Área Especial o Destacamento 47 (de la muerte, que es lo que significa ese número para el Ministerio del Interior) o *la pizzería* (por el terrible calor que allí hay en el verano), porque tiene aquello todos esos nombres o más. Voy a evitar la descripción detallada de ese sitio macabro porque todavía me quita el sueño.

»Me registran en un salón oval, donde desembocan tres pasillos; a los pasillos salen 33 celdas por cada uno y otra más que completan las 100, dedicada a extra o super castigo. Las celdas tienen un metro y treinta centímetros de ancho por tres metros de largo; en ese espacio rectangular, al final dividido por un murito de 100 centímetros de alto está el inodoro que lo forman dos pies de concreto y un hueco, pegado a una pila de agua. A lo largo de la celda coloco una delgada colchoneta en el suelo de cemento pulido, que entonces sólo me deja un pasillito de treinta centímetros que va de la entrada del inodoro a la reja tapiada, a una altura de 3 metros. Después de esa reja tapiada (con una pequeña abertura pegada al suelo para entrar la *cacharrita*⁵ de la comida) viene lo que allí se le llama *portalito*, especie de "tierra de nadie" entre la celda y el pasillo; ese portalito separa la celda del pasillo y lo remata una puerta de madera, en mi caso también cerrada con un candado; su llave, en poder del guardia de turno. Encima de la puerta de madera, a un costado, pegado casi al techo, un hueco con un bombillo enrejado y más arriba, al final de la pared frontal, y de lado a lado, una ranura larga que allí llamamos claraboya, que permite un poco de ventilación, sin dejar ver nada al exterior; de ahí la obsesión de los presos por ver el cielo. No hablo de ventanas, pues no existen. La altura hasta esa ranura es de unos 3 o 4 metros.

»Oigo una voz que viene de muy cerca, luego conocería que proviene de la celda contigua y que entraba a la mía por la claraboya. El tipo preguntaba quién era yo y me alertaba que ese era el pasillo dos, que en su mayoría está ocupado por sancionados a muerte y que yo y otro preso éramos los únicos con la puerta de madera cerrada con candado.

»Me dice que debo resistir pues en esas condiciones no dan sol ni permiten visitas o correspondencia con la familia ni dejan al recluso leer nada. Al decirle que soy preso de causa política, la voz añade que debo deshacerme de la copia de sentencia si está muy *fula*[6] porque los guardias la leen en la requisa, se enfurecen y la pueden emprender a golpes conmigo. Dice el individuo que el recibimiento siempre es una golpiza y que puedo estar contento de que no me la aplicaran cuando me trajeron.

»En el curso de ese tiempo tuve varios compañeros de celda (me refiero a los ubicados en las celdas contiguas, a los que nunca vi) pero ninguno hizo tanto por mí como L.R.A, que a través de un pequeño orificio entre la pared y los alambrones que unen las rejas llegó a pasarme, con la ayuda de un cordón tejido de zapato que yo tenía, dos libros completos uno de los cuales fue *La dama de blanco* y unos cuatro periódicos *Granma*. Debo decir que esto se hacía a razón de 8 o 10 hojas por día, las que yo leía junto al inodoro, echándolas después de leerlas por el hueco, alerta a los ruidos del pasillo, porque si el guardia me sorprendía...

»Para el pase del periódico cortaba cada hoja en cuatro, las enrollaba con las otras, y las iba pasando. ¡Qué clase de lío para leer cuatro periódicos y dos libros en casi 4 años! ¡Dios librara a L.R.A si lo descubrían!

»La comida era tan frugal que me acostumbré a guardar el desayuno para las 10 de la mañana y el almuerzo lo unía con la comida[7], que llegaba a las 3 de la tarde. Me lo comía todo sobre las 10 de la noche, poco antes de acostarme a dormir; así las mayores privaciones las pasaba de día e impedía que el hambre no me dejara dormir. Me enseñaron un medio casi eficaz de mitigar el hambre sin comida: riegas agua en el piso y te acuestas boca abajo sobre él para que el frío actúe como sedante al estómago. El sueño sobreviene enseguida.

»¡Qué envidia tuve al cabo de los años de los diminutos pajaritos que se asomaban por la claraboya! Porque allí estuve 3 años y 9 meses.

»Mi salud se deterioró y vine a parar a una sala enrejada de la Seguridad del Estado, en el hospital militar situado en Marianao, a dondè fui conducido en un carro celular de la policía política.

»La primera gran alegría que tuve en todos aquellos años fue cuando vinieron mis familiares al hospital, treinta días después de estar en él. Conocí que una de mis hijas se había casado y que yo tenía un nieto de un año y pico; lo conocí allí, en el hospital. Corría ya 1988 (febrero o marzo). Seis largos años de incomunicación férrea; poco más de 56,560 horas. ¡Y no estaba loco!

»Una anécdota: De nuevo en el área especial del Combinado del Este, situado ahora en una celda del mejor pasillo (el número tres), ya que carecía de puerta de madera y por entre las ranuras de la pared frontal se podía ver el cielo y la parte superior de las palmas y las celdas tenían camas literas de tres pisos; un día de mayo me llevan precipitadamente de *conduce*[8], en un ómnibus Girón, pequeño. Extrañamente, no me esposan y soy llevado sólo por un subteniente y el chofer del vehículo, armados con pistolas, nada más. Unos kilómetros más adelante detienen el carro debajo de unos árboles, pues el motor se recalentó. Nos dan allí las 4 de la tarde y me regresan a la prisión. Al llegar supe por los otros reclusos que allí habían estado reporteros y periodistas extranjeros, que sacaron fotografías y entrevistaron presos. ¡Qué casualidad! Pero más casual fue que en esa fecha ya todas las celdas de los dos pasillos más tenebrosos tenían ventanas al fondo, se les había retirado las planchas de acero que las tenían tapiadas y les quitaron las puertas de madera. En septiembre vendría la Comisión de Derechos Humanos de la Organización de Naciones Unidas.

»Un mes después estuve dando vueltas —en un camión-jaula atestado de reclusos— por todos los centros penitenciarios de las provincias habaneras, en cada sitio dejaban a algunos prisioneros. Me tocó ser el último; me dejaron al mediodía del día siguiente en la cárcel de Guanajay. De nuevo para el castigo. De nuevo las dudas, esta vez del director y el jefe de orden interior, sobre si estaba o no pendiente de pena de muerte o si era efectiva la sanción de 30 años. Esto último —decían— no había nada que lo probara, ya que mi expediente carcelario "no había llegado".

»Una semana después, en plena mañana, por poco echo el corazón por la boca[9], vinieron, me esposaron y me condujeron hacia las áreas exteriores del penal sin ningún tipo de explicación y con el rigor de quienes yo vi salir rumbo a la muerte. No era así. Los muy *graciosos* me llevaban a las oficinas del director de la prisión.

»Pedí explicaciones del por qué me habían mantenido tanto tiempo incomunicado en el Combinado del Este. El director "no lo sabía", pues, dijo, "eran decisiones del mando superior". Y así, simplemente, "borrón y cuenta nueva". Y añadió: "Vas para uno de los mejores pabellones de la prisión". Lo que no me dijo fue que en aquel destacamento 2, del edificio B, los reclusos todos tenían sanciones de entre 15 y 95 años y que algunos habían matado en la calle y también en presidio. No me dijo que allí sólo habían asesinos, ladrones, drogadictos y violadores...

»En pocos meses el destacamento, que tenía hasta cinco presos por celda, llegó a tener uno solo e, incluso, celdas vacías. Se cortaron las literas-camas de a tres, dejándolas de dos y de una. La prisión, como por milagro, se quedó con menos de lo que podía almacenar. Se dieron infinidad de libertades: especiales, extra penales, condicionales, etc., luego de que los tribunales revisaron febrilmente las causas e hicieron *sanciones conjuntas*, a todos aquellos que pasábamos de 25 años. No voy a explicar en qué consistían las sanciones conjuntas. Es un aspecto técnico jurídico que no hace falta... Me tocó un descuento de 10 años. Ahora estaba sancionado a 20 años "nada más", como solía decir el reeducador.

»Y siguieron pasando los años, para mí algo más llevaderos porque tenía contactos con la familia y la correspondencia. Pero la prisión aprieta, ahoga y embrutece y se debe luchar contra eso, a todas horas. Si la prisión te asimila, estás perdido. Si no eres fuerte para eliminar los hábitos o vicios que traes de la calle, estás perdido. Si como preso político no sabes darte a respetar entre los otros, estás perdido.

»Y vino el *Período especial*[10] y me denegaron cuatro veces el sistema de trabajo correccional, con pases cada varios meses. Después del 92 me denegaron otras tantas veces la libertad condicional a pesar de esfuerzos familiares y organizaciones de derechos humanos. Y, cosa rara, ocurre lo del 5 de agosto de 1994 y el 24 de ese mes (dos días después de comenzar la crisis de balseros[11]) me ponen en libertad condicional. ¿Se equivocarían? No me marché del país.

»Y no escribo más porque me hacen daño estos recuerdos.

»Mi nombre es Rolando Martínez Valdés, fui oficial del Ministerio del Interior durante 21 años y *abrí*

33

raúl **rivero**

los ojos[12] en 1979. Ahora pertenezco a organizaciones de derechos humanos.

---

[1]Automovil que usa la policía política.

[2]En el lenguaje coloquial cubano es responder con mucho más brío o violencia ante cualquier situación. En este caso el reo esperaba que el fiscal pidiera pena de muerte por fusilamiento.

[3]Traslado, en la jerga carcelaria.

[4]Corte de pelo «estilo de reclutas» al cual someten a los presos.

[5]Vasija o recipiente pequeño.

[6]Abreviación de fulastre.

[7]Lo llevan a un lugar de paradero desconocido

[8]Cena

[9]Se dice para expresar un gran temor o susto.

[10]Llamado así por el régimen a la etapa que se inició con la caída del bloque comunista y la pérdida del subsidio soviético de alrededor de 6 mil millones de dólares anuales. Esta fase aún está vigente.

[11]El 22 de agosto de 1994 se inicia un éxodo masivo de balseros.

[12]Decepción de la ideología comunista.

Maleconazo

Michel Charnícharo Pláceres tenía 17 años en 1994. El 5 de agosto, fue uno de los protagonistas de la primera demostración popular masiva en contra del socialismo cubano. Aquí está, narrada por él mismo, su participación en los sucesos que conmovieron el país aquél verano. Hablamos en su casa de Industria 360, en Centro Habana. Es un hombre que va a cumplir 20 años y no encuentra trabajo. Cría unos pollos que le compra el Estado. Los alimenta y cuida en su espacio mínimo y luego los vende o los cambia para sobrevivir él y su esposa.

Desde que salió de la prisión no ha podido conseguir un empleo decente porque le sigue la sombra de su expediente político, definido por la burocracia policial con esta dos letras que tienen, comprobadlo, ruido de cerrojo: CR. Eso quiere decir contrarrevolucionario.

Estas memorias tienen que ver con miles de jóvenes que se lanzaron a las calles ese 5 de agosto.

Michel tuvo la primera bronca al mediodía con los hombres del Contingente Blas Roca, cerca de la

Punta, frente a la bahía de La Habana. Había grupos de gentes gritando «abajo Fidel, viva la libertad», cuando comenzaron a llegar los camiones de los paramilitares.

A los primeros que bajaron les fueron arriba con piñazos y patadas, pero llegaron más carros y los tipos traían cabillas y palos y cascos de constructores para protegerse. También los apoyaban policías de civil y equipos especiales de karatecas de la Seguridad.

Ese día me reuní con un grupo de gente y bajamos a la calle, normal, pero fuimos porque ya nos habíamos enterado de que estaba andando una revuelta y mucha gente se quería llevar las lanchitas que van a Regla y se decía que iban a venir unos barcos de Miami.

Como yo nunca he estado de acuerdo con este sistema, fui con el grupo que teníamos medio organizado.

Con los del Blas Roca nos fajamos a piñazos y patadas y la gente les gritaba abusadores, vendidos, maricones. Hubo muchos golpes, nosotros nos dimos gusto tirándoles piedras y los enfrentamientos fueron muy duros.

De allí, cuando la cosa se puso mala, salimos para la zona del hotel D'eauville, en Malecón y Galiano. Íbamos gritando consignas en contra del Gobierno y llamando, a los que nos encontrábamos, que se unieran a nosotros.

Aquello era tremendo, la gente decía: «abajo Fidel, que se vaya Fidel, queremos Libertad».

También nos enfrentamos con policías y grupos del Blas Roca, siempre con mucha violencia. Ya había recibido algunos palos en la Punta y la esquina del hotel estaba caliente, algunos de nosotros se desviaron y andaban rompiendo vidrieras por la calle Neptuno. Así es que decidimos irnos y volver a salir por la noche. Yo tenía arriba bastantes golpes.

Habíamos resistido a la policía y a los chivatos del contingente más de tres horas. Quítense, váyanse, nos gritaban ellos y nosotros allí, a golpe y piedra limpia.

Por la noche llegamos hasta el Paseo del Prado. Estaba tomado militarmente y carros del Ejército y patrulleros y los paramilitares tenían campamentos y les llevaban cajitas con comida. Cogieron miedo y habían ocupado toda esa zona de La Habana.

Estuvimos molestándolos y gritando «abajo Fidel» y ellos corrían para un lado y para otro, les tiramos algunas piedras, pero estaba todo muy controlado.

Volví a mi casa y me acosté. Me dolían los golpes, pero me sentía contento. Al otro día díceme mi mamá: «saliste anoche en el noticiero de televisión». Esa tarde me vi yo mismo. Salía tirando piedras con un pulover negro de rayas y un pantalón verde.

Los vecinos que me vieron me decían, «escóndete que te van a coger, saliste tirando piedras y gritando "abajo Fidel"». Yo lo hice porque no estoy de acuerdo con esto, así es que me quedé por ahí por la casa. Seguí saliendo en la televisión, lo repetían mucho y después vi mi foto en la revista *Bohemia*.

El día 13 de agosto, el cumpleaños de Fidel, la calle amaneció otra vez revuelta. Como a las doce del día iba yo a salir cuando me cogieron. Vino el Jefe del Sector y otros dos policías. Me llevaron para la Unidad. Cuando llegamos allí dice el carpeta: «Mira este es el tirapiedras» y me dieron una patada y me tiraron en el calabozo, mientras me golpeaban por la espalda.

Al otro día, los interrogatorios. Un instructor me sacó de la celda y empezó a hablarme para que yo dijera quiénes habían tirado piedras conmigo. Me enseñaron dos o tres fotos para que identificara a la gente, «si ustedes son los policías averigüen ustedes», les dije.

Reconocí a muchos amigos míos pero por supuesto no se lo dije para que no pudiera coger a más nadie. Les dije que yo sí estaba consciente de lo que había hecho.

Entonces el instructor me dio dos galletas. Yo tenía las manos esposadas. En ese momento entró un Mayor y yo le dije que me estaban golpeando y yo estaba esposado. El oficial se puso a regañar al otro, pero jodiendo, en broma.

Me llevaron otra vez para el calabozo y el instructor le dice al calabocero: «Encárgate de éste que le dijo al Mayor que le estaban metiendo golpes». Me encerraron y a los cinco minutos me saca el instructor otra vez y en un patiecito que hay en los calabozos, me entran a piñazos dos calaboceros.

Allí perdí un diente, de los del frente, que ahora lo tengo postizo. Me desmayé por la pateadura y desperté otra vez dentro de la celda.

Me acusaban de rebelión, de contrarrevolucionario, de todo y en eso estuve 21 días. Después me llevaron para 100 y Aldabó, que es el Departamento Técnico de Investigaciones de La Habana. Me hicieron un expediente para la Seguridad del Estado, con fotos, huellas y todo. «Te vamos a joder, te vamos a joder», me decían siempre los guardias. De ahí me lanzaron para la 1580.

Esa es una prisión que está por San Miguel del Padrón y le dicen *El Pitirre*. Había una cantidad de presos enorme, los de la revuelta del 5 de agosto, todos muy jóvenes, de mi edad más o menos.

A los tres meses de estar en la 1580 me hicieron el juicio, el día 16 de noviembre y entonces, ¡qué bárbaros!, me acusaron de «desorden público». Me condenaron a tres años. El abogado me defendió bastante bien, hicimos la apelación y se me quedó en un año. Cumplí cuatro meses más y salí. Antes de salir estuve en una prisión correccional trabajando sin cobrar.

Ya en la calle, no he podido conseguir trabajo más nunca. Traté de entrar en una fábrica de tabacos porque eso me gusta, pero no me dieron chance porque vieron el expediente. Después tuve un pequeño problema con uno ahí y me volvió a salir el asunto y me echaron seis meses barriendo calles, que los estoy cumpliendo ahora.

Yo fui el que mejor salió en las imágenes del 5 de agosto, la cara mía estuvo mucho tiempo fija en la prensa. Esa revuelta tenía una imagen: la mía tirando piedras.

Yo estoy aquí, en La Habana, esperando otro agosto.

Te vas a **quedar** sola

Era una ola grande, oscura, con una lista de espuma blanca en la punta. Cuando comenzaba a derrumbarse como un edificio sobre Reynaldo, pasó la nevera. Hizo un movimiento hacia aquella caja que flotaba y se aferró a ella. La ola lo cubrió pero unos segundos después estaba otra vez mirando las luces de La Habana desde el agua. Entonces pasó el niño. Reynaldo tendió la mano y lo agarró con fuerza. Alrededor mucha gente gritaba y se escuchaban quejidos y lamentos. El remolcador ya estaba en el fondo del mar.

Esta es una historia pasada. Fue la noche del 13 de julio de 1994[1], Reynaldo Marrero Carrazana tiene ahora 18 y el niño que salvó aferrado a la nevera tiene 9 y se llama Yandi Martínez Hidalgo.

Es una historia pasada y sucia que se quiere sepultar junto al viejo barco y a la vida de 37 cubanos que se perdieron esa noche.

Pero esta historia tiene la misma cualidad de la nevera rusa que salvó a Reynaldo y a Yandi: siempre sale a flote.

Juana Carrazana Hernández, 44 años, es la madre de Reynaldo y está aquí, dos años después del suceso con esta otra historia.

—Estoy sufriendo hostigamientos sistemáticamente por agentes de la Seguridad del Estado, por el solo hecho de querer ofrecerle misas a mis seres queridos.

—En el hundimiento murió mi hija Yuliana, de 28 años, mi esposo Reynaldo Joaquín Marrero Álamo, de 48, y mi nieta Hellen Martínez, de 5 meses. Me prohiben ir al malecón a tirarles flores los 13 de julio o cualquier otro día. Incluso me persiguen y me acosan cuando voy a la iglesia de la zona donde vivo.

—Lo peor no es eso sino que me amenazan con que si sigo en esas actividades van a desaparecer a mi hijo Reynaldito, el único que me queda ya. Quieren dejarme sola en el mundo, dejarme sola.

---

[1]Ese día unos 70 cubanos intentaron escapar de Cuba en el remolcador 13 de Marzo, anclado en la bahía de La Habana. La embarcación fue hundida por fuerzas gobernamentales. Entre los 37 desaparecidos había 10 niños.

El **amor** se cosecha en febrero

Esta es una pequeña historia de amor. Una historia que se mueve de la nobleza a la vulgaridad en una ciudad hostil y áspera y entrañable. Es una historia con canciones y suspiros, tranquila y violenta que comenzó en un calabozo de la sexta unidad de la Policía Nacional Revolucionaria.

Al amanecer del 18 de febrero de 1996, la policía política arrestó a Marisela Pompa, una activista del Partido Solidaridad Democrática, en su casa.

Ya en la media rueda, Marisela es una mujer bonita y enérgica, que nació en la zona de Victoria de Las Tunas, pero que vive y trabaja en La Habana hace más de tres décadas, en el sector de la Educación.

Esta era su tercera visita a la prisión porque ella trabaja por un cambio pacífico en su país y en las últimas semanas se mantenía sumergida en la labor de organizar una especie de Parlamento de todas las organizaciones de la oposición interna, convocado por un abogado de 30 años, Leonel Morejón Almagro, bajo la acogedora propuesta de Concilio Cubano.

—Marisela Pompa —dijo el sargento—, CR, celda 12.

Entre el trayecto de la casa a la unidad policial, los trámites en la carpeta y el conocido procedimiento de registro personal y entrega de pertenencias, iban a dar las 9 de la mañana.

José Antonio Suárez, uno de los corresponsales del movimiento de periodismo independiente cubano, estaba entrando a esa hora en la misma comisaría.

Lo atraparon en la calle, mientras buscaba un teléfono para dar a conocer los últimos detalles de la reunión, convocada para el 24 de febrero, una fecha muy importante en la isla.

Un policía que se hacía llamar Isidro o Pepe, conductor de una moto soviética marca Ural, lo detuvo y le dijo en tono amigable.

—¿Adónde vas Toño? Ven, monta.

Pepe o Isidro, los hombres de la Seguridad del Estado usan siempre nombres falsos, tienen preferencias por los de mosqueteros o conquistadores o ingenieros agrónomos de San Petersburgo. Así se llaman Aramís, Iván, Patricio, Boris, aunque en los últimos tiempos se hacen llamar Michell, Junior, Tony y Richard.

Pero Pepe o Isidro, más español, más castizo, se convirtió en un policía particular del periodista. Tanto, que en sólo unos meses lo arrestó tres veces, hasta que el 1 de agosto de 1996, lo asaltó también en plena calle y le quitó 781 dólares que el grupo de corresponsales había recibido de la organización francesa Reporteros Sin Fronteras.

Suárez hizo la reclamación en la Fiscalía del Ministerio del Interior y después de tres meses de baba burocrática, el oficial que investigó el caso le informó al periodista que el día que fue asaltado, el oficial Isidro —o Pepe — «no estaba en Ciudad de La Habana».

A las 9 y 40 minutos de esa mañana, Suárez era un CR, confinado en la celda 8, junto a un cubano de Miami que salió de Cuba en 1986 y esa semana había regresado clandestino en un barco a recoger a su familia. Guardafronteras abortó la operación y ahora el hombre de Hialeah estaba compartiendo la celda con el periodista.

Durante todo el día 18 y 19 llegaron inquilinos a los calabozos de la sexta unidad. Se sabe que con motivo de la reunión de Concilio, dos centenares de opositores, profesionales independientes y disidentes en general fueron llevados a la cárcel o retenidos en sus domicilios.

La noche del 19 ya algunos presos se conocían.

—¿Quién está ahí, eh? —gritaba un tipo de la celda 5.

—En la 4, Miriam, del Colegio de Pedagogos.

Por ese método atropellado y basto se identificaron Marisela y Toño.

—Estamos aquí por Concilio pero Concilio va — dijo una mujer.

—¡Concilio va, Concilio va, Concilio va! —empezaron a gritar desde todas las celdas.

—¡Libertad, libertad, libertaaaadddd! —cantó Marisela desde la 12 y desde las otras siguieron la canción de la otra Marisela, Marisela Verena, la cubana que vive en Puerto Rico.

Estuvieron cantando hasta las 5 de la madrugada y el concierto terminó con un coro desconcertante y ronco que desentonaba en los calabozos y le daba una fuerza y una pureza rara a la canción de Willy Chirino, *Ya viene llegando*.

Toño Suárez salió en libertad poco después pero Marisela Pompa fue a parar al Departamento Técnico de Investigaciones de 100 y Aldabó. Allí estuvo dos días y enseguida la trasladaron para una sala de psiquiatría del hospital de enfermos mentales conocido por Mazorra.

La policía usa con frecuencia ese sistema. En la sala de psiquiatría, Marisela estuvo 22 días y después fue enviada a su casa con todas las actas de advertencias y recomendaciones de rigor.

Suárez siguió la ruta de la mujer en las prisiones, se preocupó por ella, hizo contacto con sus familiares.

—Esa mujer cantando aquella noche, en aquella situación, me dejó loco. Me dio tremendo ánimo, gasolina para seguir, a mí solo no, a todos los que estábamos allí —me dice esta tarde Toño Suárez, 14 meses después del episodio.

—De verdad que la mujer me impresionó. Cuando la vi al salir ella de la cárcel, dije para mí «qué bonita es, qué dulce».

—Y tú, Marisela, ¿Cómo recuerdas aquel febrero?

—Yo, nada. Yo tenía ganas de cantar porque cantar era la única manera de decir que defendíamos un derecho, que no teníamos miedo y que íbamos a seguir trabajando por Concilio.

—Cuando escuché que uno por allá siguió la canción me sentí muy feliz. Después eran todos los presos, hasta los comunes que estaban con nosotros.

—Además, desde ese día, sé que cantar me da suerte —dice y mira a Suárez.

Yo me voy. Me voy porque detesto los recitales de aficionados y porque nunca he sabido vivir ni escribir un buen final para una pequeña historia de amor.

El caballito blanco de **Changó**

Creo que era cierto que amaba a Cuba, a toda Cuba. En la compleja Habana de los 90 se movía en un Chrysler negro del 57, casi inofensivo en su majestuosidad, rodando en el paisaje de basurales y abandono, lo mismo con una jinetera a bordo que con un funcionario de cultura, un marginal y un escritor.

Le gustaban las mujeres negras con nombres de flores o países o continentes. Conocí varias de sus novias. «Negritas, mis negritas», decía él.

Jazmín, Rosa, Miosotis, Argentina, África y América, Camelia y Azucena, todas mulatas, todas altas, todas religiosas y pícaras y bailarinas o «estudiantes de idiomas por cuenta propia».

En La Habana trataba de inaugurar un centro de estudios para la poesía europea contemporánea. Eso lo mantenía en contacto con los alegres funcionarios de cultura, con periodistas alertas y la plaga de jineteros líricos que cazan becas fugaces en el extranjero, para «coger un aire» del Período especial.

Siempre alquilaba en casas particulares de El Vedado, céntrico, todavía casi limpio, los mejores hoteles a mano y cerca también de las instituciones.

Pero le gustaba el movimiento de Centro Habana, donde solía caer de noche, por los solares, a tomar el ron peleón de la libreta de racionamiento[1], a escuchar un guaguancó de cuero de taburete y una rumbita y unos bolerones y donde la gente no le decía su complicado nombre lleno de consonantes, sino Juanito el sssuaveee, Juanito el sssabrosssooo o el Caballito blanco de Changó.

Venía a Cuba desde los 70, conocía a todo el mundo, se hizo «santo»[2] y Changó lo protegía siempre en sus viajes trágicos a Los Hoyos, en Santiago de Cuba, en los periplos a Bayamo y Ciego de Ávila, y en sus visitas de médico a Brasil, Santo Domingo y hasta en las nieves y el frío de su patria, donde los Santos nuestros tienen que hacerse pasar por animales domésticos o palomas. Donde el Eleguá necesita más ron y más tabaco porque las deidades del trópico no saben por dónde llega el mal en el invierno de esas latitudes.

Estoy seguro que María Elena Cruz lo recuerda. Lo recuerda magnífico y generoso en mi casa de Centro Habana, en la fiesta que Juanito el sssuaveee le dio cuando ella salió de la cárcel. Lo recuerda frente a una batería de botellas formadas en mi mesa de cristal, mientras ella cantaba *Perfidia* y *Quiéreme mucho*, con su voz triste de pasta y melao.

Lo recuerdan muchos escritores en desgracia. Lo recuerdan como disculpándose por llevar un pequeño regalo, algo para el día o para la semana, algo para aliviar la severidad del *bloqueo*.

—¿Qué bloqueo? ¿Los pueggquitos vienen de Uropa? ¿La malangga se cosecha en Boston? ¿Los pollitos se fuegron pa' Miami? ¿Se suicidaron las vagquitas de ustedes? Ve cogiendo esos espaggueticos y ese queso y una botellita de vino del Rhin.

Aquí siempre se movía como lo que era, un hombre de otro mundo, un intelectual que se acercaba afectuoso, interesado en la vida y la cultura de un país.

Nada de política, siempre en esa media distancia tan saludable en el boxeo. Así se le quiere en esta isla, donde ha tenido abiertas las puertas de solares y escondrijos, de residencias e instituciones, donde ha recibido amor, ese Caballero de Europa, bueno para el ron, la poesía, los amigos y las «negggrittas», que anda por ahí, caballero en sí mismo, el Caballito blanco de Changó.

Para Juanito *el suave*, antes el *sabroso*, mi casa está en el mismo sitio, no una casa que él vio caerse de vieja y desidia en Oquendo y Neptuno, en pleno Cayo Hueso, sino esta de más acá, dònde transcribo amargo y sombrío, triste por él y por mí y por Cuba, nuestra última conversación en el bar del hotel Inglaterra, esta primavera, mientras hacían, por el temblor, una musiquita extraña sus *resguardos*[3].

—Me ha dicho el periodista Pedrito de la Hoz que no debo visitar más tu casa porque me perjudica. Pueden negarme una próxima visa de entrada en Cuba. Me están filmando cada vez que entro en tu edificio.

Yo no dije nada. Juanito se puso de pie sin mirarme, tomó una gran copa de cristal y comenzó, de mesa en mesa, a pedir dinero para la pianista.

---

[1]Cartilla para el control en la venta de los alimentos y productos normados. Establecida en 1962 aún está vigente. Desde los vegetales hasta el pan y desde zapatos hasta ventiladores están regulados.

[2]Sacerdote de la religión Yoruba.

[3]Amuletos

Temporada en el **infierno**

Es una letra irregular, un poco infantil, imprecisa, como acostada sobre el papel, con la que Reynaldo Hernández Soto, escribe las crónicas, los poemas y las cartas de su experiencia carcelaria.

El poeta está cumpliendo su segunda condena política. Este verano, en la cárcel de Morón, su ciudad natal, entró en el segundo de los 3 años que dictó el tribunal por la delirante figura jurídica de *peligrosidad*[1].

En 1989 fue a la prisión por 36 meses por escribir una carta abierta a Fidel Castro y a la prensa oficial, con sus opiniones sobre el proceso que llevó al paredón al general Arnaldo Ochoa.

En los últimos tiempos he recibido las crónicas que me envía desde su encierro y sus cartas rápidas y sus poemas —siempre un poco desesperados— llegan a mi casa, intermitentes y violentos como los aerolitos.

En junio decía: «Yo estoy ahora en la cárcel de Morón desde hace casi un mes. Me engañaron con aquello de que me pondrían en libertad rápidamente. O mejor dicho, se engañaron ellos porque yo a nadie le pedí que me soltara. Yo nada negocié ni ninguna obligación me impuse o les impuse.

»Mi libertad es mía y no estoy dispuesto a negociarla. Una vez te escribí que había venido para estar aquí cien años y aún lo estoy. En nada he cambiado ni cambiaré».

Soto, que ha sido huésped de la conocida prisión de Canaleta, del centro carcelario de Pitajones y de un campo de trabajos forzados, junto al central Cunagua, en la costa norte avileña, tiene en la poesía, en Dios y en sus amigos la fortaleza para mantenerse vivo.

En sus 30 años, acosado por la estupidez y encerrado dice todavía este poema: *Sálvame tú, divina adolescencia / repárteme en ardor hazme tu espejo / déjame hacer en ti de mi reflejo / como una fiebre entrar en la inocencia.*

Dejo escrita esta nota sobre el poeta, ahora allá en su celda donde encuentra la libertad para su espíritu y la adelanta, la anuncia para nosotros también.

---

[1]Este término lo aplican cuando las autoridades consideran que el ciudadano es un probable delincuente sin que haya cometido delito alguno. También usan «pre-delincuencia».

Bienaventuradas
las que **cobran** en pesos

Las putas pobres llegaron más tarde, hacia el invierno del 1995. Venían de los mismos barrios y poblados de donde surgieron las vistosas *jineteras*[1] internacionales pero sin ropa de marca, menos favorecidas por la naturaleza, sin el inglés de uan, tu, tri y con gígolos municipales y desarrapados, bebedores de *chispa'etrén, gualfarina y saltapa'trás*[2].

Merodean las *paladares*[3] que venden bebidas alcohólicas, las casas de juegos clandestinos, los cabarets disimulados donde *triunfan* Olguita Guillot y Celia Cruz, y ha *regresado*, fabulosa, Annia Linares y Gloria Estefan estrenó *Mi tierra*. Es el mundo virtual de los travestíes criollos, siempre exuberantes, con las uñas más largas que los de Sao Paulo, más maquillaje que Rosita Fornés y más *locas* que las vacas británicas.

En ese universo celestial, no en el centro sino también en las márgenes, han ido estableciendo su tienda de harapos las jineteras nacionales.

Están haciéndose fuertes en los mercados campesinos, en los cabaretuchos de barrio y en los clubes nocturnos que han sobrevivido a la ofensiva revolucionaria, una especie de *delirium tremens* marxista que atacó a los dirigentes comunistas en 1968 y les produjo el sueño dorado de convertir a La Habana en el Pyongyang del Caribe.

Vivaquean en toda la ciudad y en pequeños focos en las provincias, donde se mueve la gente que no *coge lucha*⁴, y borran con ron, pastillas y marihuana de la tierra la realidad del país y su cantaleta de guerra.

Pasar una noche con una *nacional* sale entre 50 y 150 pesos. Para algunos, como se dice en Cuba, «están en precio».

. Ricardo Meriño, un panadero de 19 años, cree que «todavía es un poco caro».

El salario medio oficial en este país es de 203 pesos. El panadero debe andar por los 150. Una jornada intensa de amor le costaría su sueldo del mes.

Para Juan Arango, desempleado de 42 años, el arribo de las jineteras patrióticas crea otros conflictos: —Les están haciendo la competencia a los homosexuales. Hay luto en el parque de La Fraternidad, que es la zona donde más maricones se reúnen, sin despreciar el paradero de La Víbora.

—Es una competencia donde ellas, claro, llevan la mejor parte. Los homosexuales están otra vez discriminados y en el latón de la basura.

La tarifa de las mujeres moneda nacional delimita muchas actividades y funciones. En ese sentido, hay un elemento decisivo que diferencia al grupo de sus colegas que trabajan las relaciones internacionales. Se trata de que entre las nacionales hay muchas jovencitas, desde los 12 años, por ejemplo, pero la mayoría son mujeres que pasan de los 30 y algunas, un número importante, están en los 50.

En la estación de trenes de Cristina, en la Plaza de Cuatro Caminos, está operando Ada. Llegó de la región de Bayamo, unos días después del Ejército Rebelde, en 1959.

Era una niña. Una niña bonita y un poco loca y se metió en un cuartico en la calle Lindero.

Trabajó en una fábrica y vivió sucesivos, febriles y fugaces concubinatos de los que le quedó una hija que ya está casada y vive en otro barrio de La Habana.

—Empecé a salir con gente del campo que viene a traer viandas y animales a la plaza. Primero para divertirme y comer, porque el dinerito de friega platos en un restaurante estatal no me alcanzaba para nada. Después me di cuenta que allí estaba perdiendo el tiempo, y me dediqué de lleno.

—Al mediodía vengo para aquí y ya empiezan a caer los *puntos*, sobre todos guajiros, un poco viejones o muchachitos que traen cosas para vender.

—Yo cobro por tiempo completo 100 pesos y, desde luego, los gastos. Unas cervecitas y una caja de comida. Si es algo rápido (no vayas a poner pajas ni mamadas, ponle los nombres finos que usan ustedes) les pido 20 pesos y aquí no ha pasado nada.

—Nunca pienso en lo que estoy haciendo ni si es bueno o malo. Ni en la moral, ni en nada de eso. Estoy viva y tengo salud, no voy a pasar hambre ni

57

necesidad. Yo hago las cosas y pa'lante. A veces yo sola me digo: Adita, mira pa'eso en lo que te has metido. Pero me tomo un diazepam[5], me viro pal otro lado y me duermo.

---

[1]Apelativo del habla popular que se atribuye a las prostitutas
[2]Tipos de bebidas hechas en alambiques caseros.
[3]Comedores o pequeños restaurantes en casas particulares donde permiten sólo 12 sillas. Viene del nombre de un restaurante de una famosa telenovela brasileña.
[4]Preocuparse en forma excesiva.
[5]Nombre químico del Valium.

Patrimonio nacional

No fue precisamente por la casa de juegos de Manolito *el manco* por lo que la UNESCO declaró a La Habana Vieja Patrimonio Cultural de la Humanidad pero de todos modos está ahí, enmascarada en una ponchera y en un modesto paladar, que vende café y dulces caseros, pizzas misteriosas y otras sustancias menos inofensivas.

Yamilé *atiende* esa zona y desde la azotea donde vive puede ver los barcos entrar al puerto y los ómnibus de turistas que visitan La Catedral y La Bodeguita del Medio y el Palacio de los Capitanes Generales que regentea Eusebio Leal, un ávido y eficiente empresario del Estado.

En la casa de Manolito el manco corre dinero cubano y algún dólar desperdigado, pero Yamilé conoce sus límites: —Yo no soy negra y soy muy bajita. Si fuera nada más que mulata, pero mi familia es isleña. Mira estos brazos y tengo las piernas igual que mi abuela que nació en Canarias.

—Veinte abriles, mi amigo, acabo de cumplir veinte abriles... Me fui de mi casa para Santa Clara, a estudiar auxiliar de enfermería. Yo vivía en una finquita de Mayajigua pa'dentro.

—Qué futuro el mío en un hospital cuidando viejos enfermos por 100 pesos mensuales. Mi prima me embulló y vinimos para acá hace cuatro años. Tengo mi cuartico alquilado, 2 dólares diarios. Cuando hago el primer dinero separo lo del cuarto, porque el dueño es un negro medio refistoleró[1].

—Yo vivo bien, gano bastante, tengo mis trapitos y les mando un dinero a mis padres de vez en cuando. Voy allá una o dos veces al año y les digo que estoy en un hospital que recibe extranjeros y ellos contentísimos con los regalitos.

—No tengo marido, lo que yo hago es mío. Ahora estoy media enamorada de un hombre que trabaja en un almacén, pero él sabe a lo que me dedico. Si algún día se decide a lo mejor dejo esto y me formalizo.

—Tengo miedo enfermarme, y me preocupo mucho. Estudié y sé lo que es todo esto. No me dedico a esas boberías del futuro y de la moral. Estoy luchando como puedo, si después hay que arreglar las cosas se arreglan, me mudo y se acabó, nadie me conoce. Ahora es cuando es, ahora que todo está durísimo y yo estoy en mi caminito diario.

—No voy a hablar de precios ni de lo que hago, todo el mundo sabe lo que es este trabajo. Me alegra que ahora se diga jinetera. Puta es muy duro, muy duro.

---

[1]Parlanchín, locuaz.

Campesinos mexicanos
se divierten

La Rampa es final de la calle 23. Se acaba en el Malecón y empieza en el *lobby* del hotel Habana Libre, frente a la heladería Coppelia. En los años sesenta se decía que La Rampa era un estado de ánimo.

Sigue siendo la zona más céntrica y cosmopolita de La Habana, y este primer domingo del invierno, temprano en la mañana, seis campesinos mexicanos salen a divertirse en La Rampa.

Por 23 bajan dos o tres ómnibus donados por España y Holanda. «Del pueblo de Puerto Real al pueblo de La Habana», dice el letrero enorme en el costado de la ruta 10, El Vedado-Diezmero.

Los descendientes de El Caballero de París[1], pero sin mística, sólo con los harapos, están ya apostados en los sitios de siempre, junto a parejas, tríos, cuartetos de jineteros y jineteras de todas las edades, colores y formas.

En un Lada modelo 2107, chapa blanca, pasa leyendo el diario un Ministro y pasan dos o tres automóviles americanos y japoneses con ejecutivos extranjeros y una guagüita[2] refrigerada con distraídos turistas de Escandinavia.

—Oyee amigouuuu, miiisteer, miiisteer —dice un mulato hacia el grupo de mexicanos.

—Quiúbole —dice uno de ellos.

—Ah, dime México, vaya, vaya, tengo pa'ustedes.

Una negra de campeonato, prisionera en una licra malva, sube la lomita del hotel Nacional.

Los viejos de la cola del periódico ya los están revendiendo en la esquina de M, y más cerca del mar un tipo con uniforme, con una resaca que lo está matando, abre un carrito de croquetas para vender en moneda nacional.

Tres policías están llegando al Marakas y el cubano que habla con los jóvenes extranjeros cambia el tema: —Qué clase de frío, mi socio.

—Hummm —dice un policía bajo la marquesina del hotel Saint John.

El hombre que barre la calle tiene puesto un sombrero de guano y un saco de corduroy verde botella y una toalla vieja alrededor del cuello. En el carrito que es un tanque con dos ruedas de hierro lleva una escoba y el recogedor de lata y un radio portátil. Tito Gómez canta *Vereda tropical.*

—Tengo PPG[3], Cohiba, una paladar de primera y unas niñas que bailan y comparten —dice por fin el cubano a los de México.

Ahora pasan más carros y pasa un embajador africano, despacio, en un Mercedes con cristales ahumados, después un Buick 50 lleno de humo y dos corresponsales extranjeros graves y ausentes en un carro deportivo.

Un De Soto 57, que pudo ser blanco, llega dando tumbos, escorado y refunfuñando con un motor Perkins petrolero. Los mexicanos y su anfitrión se meten en él, rápidamente.

Tres niños están emboscados en la esquina de O y 23 con paños y latas de agua esperando que pare un automóvil para limpiar el parabrisas y los espejitos laterales.

—Deme lo que quiera, *mister*.

Los policías hablan con una muchacha que usa un pantalón de lentejuelas y botas altas.

—Hummm —dice un policía.

El De Soto sale rumbo a La Habana Vieja.

Unos perros callejeros desfilan frente al Carabalí, aburridos y desorganizados. Cruzan la acera, doblan y se detienen donde estuvo la escalerita de La Zorra y el Cuervo y luego siguen y se ponen a jugar frente al Tikoa. Son nueve.

Pasan varios Ladas y Moskvich con cartelitos de «Taxi» en cualquier parte. Son los médicos, ingenieros, oficiales retirados que salen temprano a *combatir*[4]. Y pasa una pareja joven con un niño en una bicicleta china.

—¡Qué bárbaro[5], qué bárbaro! —grita el que barre la calle porque Benny Moré está ahora en la radio y no sabe decirle a ella «cómo fue ni qué pasó»[6].

Los pequeños grupos cambian de posición continuamente, de manera ceremoniosa y por la calle N se está parqueando un camión militar con pintura de camuflaje. Es la Brigada Especial de la policía que

se despliega en tríos y cuartetos por el corazón de
La Habana.

Ha entrado el primer frente frío de la temporada
pero el domingo comienza a calentarse.

El mar está impaciente en todo el litoral, desde
Cojímar hasta Barlovento. Está azul, azul muy oscuro. Desde ciertos puntos de la ciudad se ve comple-
tamente negro.

---

[1]Pintoresco personaje muy conocido por los años 50 que vaga-
bundeaba por toda La Habana. Siempre cargaba un cartapacio
y una bolsa donde llevaba sus pertenencias. Frecuentemente se
encontraba por la Quinta Avenida en Miramar, aunque en sus últimos años pasaba gran parte del tiempo en la esquina de 12 y
23 en El Vedado.

Era un hombre gentil que lo mismo hablaba de filosofía que
de eventos políticos. Nunca pedía limosnas y sólo aceptaba dinero de las personas que él conocía. Su nombre era José María
López Lledín, nacido en 1899 en la aldea de Vilaseca, provincia
de Lugo, España y según cuenta la leyenda pertenecía a una familia de abolengo, y emigró a Cuba en la edad de 14 años.Traba-
jó en los hoteles Telégrafo, Sevilla y Manhattan. En los años 20
es encarcelado por un presunto robo de joyas en uno de los establecimientos donde trabajaba. Enloqueció en la prisión y al co-
nocerse de su inocencia, fue liberado y allí comienza la leyenda.

Inicia la vida de vagabundo, lleno de fantasías, con su traje y ca-
pa negros, melena y barba. En 1949 declaró a la revista Bohemia:
«Yo soy el rey del mundo, porque el mundo siempre está a mis pies».

[2]Omnibus pequeño

[3]Un producto farmacéutico cubano, multipropósito, que el gobierno pondera, entre otras cosas, por sus virtudes para hacer
funcionar sexualmente hasta a los desahuciados.

[4]A trabajar para buscarse el sustento

[5]Así era llamado el cantante cubano Benny Moré (*El bárbaro
del ritmo*).

[6]De una famosa canción cubana de los años 50.

Gato **encerrado**

En esta casa de Centro Habana, alta y sencilla, con las torres de las iglesias y las chimeneas de las fábricas del sur de la ciudad, fijas como un cartelón en la ventana, le pregunto a Manuel Hernández Jova en qué trabaja.

—Yo tengo un gavilán —dice y mira la loma de Chaple, esa suave colina de La Habana.

Tengo entonces la impresión de que Manuel no entendió mi pregunta.

—No. No, yo te pregunto que cómo te ganas la vida.

—Eso —responde—, yo tengo un gavilán.

Este tipo es un surrealista, pienso. Pero no, Manuel, profesor de literatura española, desempleado, aspirante a pintor, al borde de los 30, delgado, tranquilo, fumador de raza, habitante de la barriada de Mantilla, me explica enseguida que él gana su sustento diario con el gavilán.

—Mira, ese pájaro me lo regaló un amigo. Yo lo crié en el patio de mi casa. Fui agrandando la jaula de alambrón en la medida en que iba creciendo. Como no podía alimentarlo de otra forma, lo enseñé a comer gatos. Yo los cazaba por el barrio y se los traía. Una vez llegó un hombre con un gato muy fuerte y muy gordo y me dijo que lo echaba a pelear con mi gavilán. Se tasó la pelea por 200 pesos y en unos segundos mi pájaro degolló al felino, lo desolló y luego se lo comió en público. Me interesó el asunto y un compañero de la Academia de Ciencias me explicó que siempre en esa bronca ganaría el gavilán. Así es que corrí la bola por Mantilla y comenzaron a aparecer aspirantes a derrotar mi pájaro.

—Dos o tres veces por semana lo echo a pelear. Me gano mi dinero limpiamente. Además cobro algo por la entrada porque siempre hay público para este espectáculo. Claro, yo me preocupo por él. Me aseguro que nunca se pose en lugares fríos porque puede contraer artritis. Le garantizo una vida sin sobresaltos porque puede infartarse. Sólo esas rápidas peleas, sin riesgos, donde, además, resuelve su almuerzo. ¿Ves que esa era la respuesta? Yo tengo un gavilán.

Historia clínica

¿Qué pasó el 27 de mayo de 1961 en aquella habitación del hotel Chicago, de Prado y Consulado? Erasmo estaba allí, pero tenía 18 meses de nacido. De modo que sólo a los 16 años, leyendo su historia clínica de parapléjico espástico comenzó a conocer que era el superviviente de una de esas tragedias de amor y desamor que producen frecuentemente las pasiones humanas.

Supo en su sillón de ruedas, en la salita de un hospital de La Habana, que la enfermedad era incurable y que era el resultado de un disparo de arma de fuego que le afectó la médula espinal.

Su madre, Nilda Ester Díaz, ahora en los 58 años, fue quien empuñó el arma y le apuntó al pecho. Minutos antes le había dado once tiros a Erasmo Silva, un capitán del Ejército Rebelde, que iba a cumplir 27. Había asesinado también de un balazo a su otra hija, una niña de 7 meses.

Erasmo Silva Díaz se sabe esta historia por la tía que lo recogió y por los breves recortes de prensa que reseñaron el crimen en la convulsa Habana de esa época. Guarda de todo ello una intensa amargura, muchos rencores y la rara sensación de conocer que quien le dio la vida trató de quitársela y lo dejó convertido en un inválido hasta la muerte. La religión, algunos amigos y los deportes, paradójicamente, han suavizado ese dolor y lo han convertido en una persona comunicativa y amable, con un lejano pero intermitente sentido del humor y en un hombre de ideas, de sueños, de valor. Desde su silla de ruedas se hizo relojero, soldador, basquetbolista, instructor de deportes para limitados físicos motores y un sentimental auténtico y rabioso.

Erasmo Silva Díaz los vio entrar en su cuarto y se quedó tranquilo. Eran las 8 de la mañana y en el espacio mínimo del apartamento de Delicias 211, en Lawton, el jefe del sector de la policía, Enrique Guerra Fonseca, comenzó a moverse y registrarlo todo.

Cuatro horas más tarde Erasmo fue conducido a un camión, sin su silla de ruedas, y después de una breve estancia en la estación de la calle Acosta fue conducido a los calabozos de Villa Marista.

Tres días en un suelo de la celda estrecha y húmeda fueron suficientes para que el pequeño cuerpo de Erasmo comenzara a hacer escaras.

En el registro le ocuparon un paquete de algodón, una botella de alcohol y gasa, todos elementos muy importantes para sus curaciones porque por motivo de su enfermedad, siempre tiene tendencia a padecer de graves problemas en la piel.

Pero lo más importante que halló la policía política en el cuarto de Erasmo fue un revólver 38, con una carga de cuatro balas.

—Es un recuerdo de mi padre —dice—. Ese revólver y una foto y un abrigo viejo es lo único que me queda de él. No lo conocí, supe de la tragedia en que perdió la vida mucho después cuando ya había pasado mi niñez y todo eso. Esa arma, que nunca he utilizado, es parte de lo poco que quedó de mi padre.

Erasmo está acusado de tenencia ilegal de armas y puede ir a prisión por cuatro años.

—Estoy en el Movimiento Agenda Nacionalista porque aquí tiene que haber cambios, cambios pacíficos y para el bien de los cubanos.

—Nunca he sido una carga para nadie. Hasta soy pintor y lucho por la vida y por mi país. Es falso que yo alquilo ese revólver, eso es falso. Siempre lo he tenido como un recuerdo.

La madre de Erasmo, después de cumplir 8 años en la cárcel por el doble asesinato de mayo de 1961, ha estado en contacto con su hijo.

Pero ahora, ante la inminencia del juicio le dice:

—Yo te puedo ayudar con un abogado o algo de eso. Pero yo no me meto en nada de lo que tú estás porque yo estoy agradecida de la revolución.

—Yo estoy dispuesto a todo. Sé que voy a cumplir. Aquí no importa mi estado físico. Yo voy y cumplo. Yo cumplo, estoy preparado para cumplir —di-

ce Erasmo en su casa de Lawton cuando faltan
unos días para el juicio y en Cuba está al romper
la primavera.

Nada **político**

El policía hizo un gesto mecánico para que se detuvieran pero ellos no podían parar. Llevaban en la moto unas cuantas libras de carne de res. Y eso es muy grave.

Así es que aceleró y se metió en el reparto para tratar de salir del asunto.

Era el 24 de febrero de 1996[1] y a las 6 y 25 de la mañana la moto chocó contra una cerca de la casa que está en la esquina de la avenida 105 y la calle 200, en La Lisa, Ciudad de La Habana.

—Fíjese, yo tengo 60 años y ni en la dictadura vi matar a nadie. El tiro se lo dieron en ese mismo sitio, si no, el muerto hubiera sido el que venía sentado atrás. Pero cuando chocaron ese se bajó y salió corriendo antes que el policía disparara.

—La bala le entró por el pulmón derecho y murió instantáneamente. Era un hombre de 40 años, pintado de canas, blanco él. Yo la verdad le digo eso fue un crimen. Me enfrenté a la policía. «¿Cómo tú vienes a formar un tiroteo en la misma puerta de mi casa?» Y me respondió nervioso: «¡Lo maté! ¡Pero mire, mire!» y yo le dije: «Sí, es carne y qué. ¿Tú crees que eso justifica quitarle la vida a una persona?».

—Eso no es un caso político sino de sentido de la justicia y yo tengo mis hijos, no quisiera que jamás les ocurriera una cosa así.

—Vinieron a verme dos hermanos del muerto. Son de San Cristóbal, Pinar del Río. Yo les conté cómo fue todo. A ellos les dijeron que había ocurrido en la Autopista.

—Ningún investigador ha venido a pedirme testimonio.

---

[1]Ese día se reunían por vez primera las organizaciones opositoras, unidas bajo la sombrilla de «Concilio cubano». También ese día fueron derribadas dos avionetas de la organización humanitaria Hermanos al Rescate y asesinados los cuatro tripulantes bajo el fuego de dos MiGs de la aviación castrista.

Volver

La espiral del socialismo cubano ha devuelto a la mayoría de sus activistas más sinceros y fervorosos exactamente al sitio donde los encontró la década del 60.

—Eso es verdad, sólo que ahora somos unos viejos.

Joaquín no quiere decir su verdadero nombre.

—Me queda el miedo, me queda, no te lo voy a negar. Estoy cabrón pero tengo miedo.

A los 13 años estaba de *michelín*[1] de su padre en el Ford 51 que tenía para viajes de alquiler en Esmeralda, Camagüey. De noche estudiaba en la Escuela de Comercio.

—A lo mejor cogía algo en una oficina y ya estaba hecho.

En los primeros años de la revolución se inscribió en las milicias y de ahí a las Fuerzas Armadas. Movilización tras movilización. Escuelas y más escuelas. Estudió en Kiev una especialidad militar. Combatió en Angola y en Etiopía.

—No te olvides de poner que en 25 años, hora por hora, debo haber estado de guardia como 6 ó 7 años si se cuentan seguidas.

—Hice mi vida al servicio de una idea, de un ideal. En él traté de educar a mis dos hijos pero después cada uno tomó su camino. El mayor anda por México, a veces sé de él. Viene alguien, me manda algo. El otro está encerrado en su casa leyendo libros. Nada más le interesa eso. «Viejo —dice—, te embarcaste en la política, te peleaste con todo el mundo y la vida es otra cosa, siempre ganan los de arriba y aquí, los de arriba son los mismos hace medio siglo».

—No, con ese no se puede hablar. Mi mujer es un pan. Se ha hecho vieja **esperándome** de las guerras y lo del viaje del muchacho le puso en la cabeza como diez años, de un tirón.

—Yo me siento bien de salud. Sigo fuerte, estoy un poco barrigón y canoso, pero bien. Con mi carrito, un Fiacito polaco, que fue lo que quedó del trabajo. Un retiro que no me alcanza. Y aquí estoy luchando con el polaquito de la Plaza de Marianao a la Estación de Ferrocarriles, suave, despacio, buscándome los pesitos para sobrevivir.

—Me licencié de teniente coronel. Estoy en un núcleo zonal. Una vez por semana nos reunimos un bando de viejos a caernos a mentiras. Ya ni quiero hablar de política. Lo que quiero es que pase todo y que haya paz, que no se forme una bronca que ya este pueblo ha sufrido bastante.

—Ahora, te voy a decir, cuando mi mujer me ve llegar y bajarme del carrito, sofocado y con un lamparón de sudor en la camisa me dice: «Viste, viejo, estás terminando como mismo empezaste, de chofer de alquiler». Entonces sí me da una penita, un dolorcito que me atraviesa el pecho.

---

[1]Ayudante, en el argot de los taxistas de la época.

Las **manos** en el fuego

A la 1 y 45 de la madrugada quedaban tres jugadores. El tipo gordo, blanco y alto, del cadenón de oro, tiró la última carta sobre la mesa que estaba cubierta con un mantel de hule barato y un polvo de cenizas y manchas de café.

—Caballeroj ejto ej mío —dijo el tipo y saludó a una gradería invisible de público, quitándose y poniéndose una gorra de Los Bravos, de Atlanta.

Cuando se levantó tenía en los bolsillos 350 dólares y 1,800 pesos cubanos. Como estaba contento le dio a María 300 pesos.

Desde que se inició la partida, alrededor de las 5 de la tarde, ella les servía café, refrescos y agua fría. A las 9 de la noche preparó una merienda para seis personas. Bocaditos de jamón y queso, malta y dulce casero. Café otra vez y cigarros Populares, Marlboro y Kent, a precio del Estado.

Este es el negocio de María Eugenia. Una negra esbelta, 35 años, divorciada de un economista, una hija de 8 años. —Estaba pasando las de Caín —recuerda—. No teníamos ni ropa que ponernos y comíamos lo de la libreta y punto. Ese muchacho que me estaba dando vuelta y que le gusta mucho el juego me dijo: «Tú tienes una buena casa, prepara las condiciones que yo traigo los *puntos*». Así empezamos.

María Eugenia gana hoy entre mil y dos mil pesos a la semana. Su vida cambió totalmente.

—La niña y yo tenemos de todo. Comemos mejor que el viceministro que vive en la esquina. Hay riesgos, siempre hay riesgos. Pero tengo una buena amistad con el jefe del sector de la policía. No, no, sólo una buena amistad, por lo menos de parte mía. Si él piensa otra cosa es asunto de él. Es un *orientalito*[1]. Yo lo *toco*[2] con algo, ellos ganan una basura, lo toco con algo y él siempre dice lo mismo: «Negra, cará, la caja que yo quiero cuadrar contigo es otra».

Hay competencia, María Eugenia ya tiene mucha competencia porque en toda esta barriada de Santos Suárez la gente descubrió lo que se llama en Cuba el *bisne del bule*[3] y comenzaron a alquilar sus casas.

—Pero la mía es la mejor. Tranquila, buena merienda, muy buen trato, silencio, discreción y seguridad. ¿Más café?

II

En 10 de Octubre y Princesa se le ponchó la goma de atrás de la bicicleta china. «¡Coño, a pie hasta El Vedado, me muero!», pensó Félix Iglesias.

Al mediodía, 10 de Octubre hierve y el asfalto es una pasta negra. Cogió su bicicleta y caminó rumbo a la esquina de Toyo, donde por lo menos, cada mañana 20 o 30 cubanos se paran a comentar: «¡Qué clase de panadería hubo aquí!»

—Los chinos hacen estos aparatos con plomo. Llevo tres cuadras y me parece que estoy arrastrando un tractor

—Oye, guajiro, estás salao. Pero pa' que tú veas, Cachita[4] nunca abandona a su gente y me mandó a mí pa' resolverte.

Era un mulato joven. «El muy cabrón tenía cara de buena gente», recordaría Félix después. Era joven y simpático, desenvuelto, rápido.

—Tengo un socio cerca de aquí que vende una cámara y ahí mismo hay personas que cogen ponches.

La cámara de su bicicleta estaba en las últimas.

—Siempre te va a llevar lo tuyo, mulato, vamos —le dijo.

Llegaron a un solar en ruinas, el guía entró y salió enseguida.

—El hombre viene en un momento vamos a esperarlo.

—Okey, lo esperamos.

En el pasillo, a la entrada del solar, estaban armando una mesita de metal. Primero llegaron dos muchachos y una mujer de unos 40 años. Otros dos inquilinos llegaron después.

—Dale, Néstor, métele mano —dijo la mujer.

El tal Néstor vestía una guayabera ajada, usaba

espejuelos de miope y una boina negra, llegada a Cuba en el segundo viaje de Colón.

—Hagan juego, señores, hagan juego —gritó con voz grave y en un español perfecto.

Con gran rapidez puso sobre la mesita tres chapas y mostró al público un pedacito de esponja color vino.

—El que más mira menos ve, esto es limpio, señoreees, esto es limpio, yo estoy loco, lo que quiero es jugar, aquí gana cualquiera y el de vista de águila, esto es limpio, señoreees, yo estoy loco, hagan juego.

Uno de los muchachos apostó a la chapa del medio y ahí estaba la esponja. Ganó dos dólares.

—Me voy, ya yo hice mi pan.

Los otros miraban la maniobra del viejo. La mujer ganó tres dólares pero se quedó y dobló la apuesta. Entonces, el mulato anfitrión de Félix le dijo.

—Prueba tú, guajiro, a lo mejor en esto estás dichoso...

A los diez minutos tenía 8 dólares a su favor y a la una de la tarde perdía 32, el reloj, y una pluma de marca que le habían valorado en 50 pesos. A esa hora sabía también que se iba a pie para El Vedado, que había caído en una trampa vieja y estúpida y que con su carrerita universitaria y los libros que leía seguía siendo un ingenuo y un comemierda.

Mientras arrastraba la bicicleta otra vez en la calzada de 10 de Octubre comenzó a perdonarse.

—Es la necesidad, la jodía necesidad de unos pesos lo que hace a uno convertirse en un monstruo o un miserable.

Se sintió mejor, pero tenía la sensación de que se había encogido y que la ropa le quedaba grande como si no fuera la misma con la que salió de su casa esa mañana. También sintió, por momentos, que un gigantesco insecto lo iba arrastrando por un pantano de asfalto.

III

Al Regi hay que llegar con una buena recomendación, porque si no se pone *gato*, se pone mudo, arisco, pesao y agresivo. El hombre que me dio carta blanca para hablar con él me advirtió:

—El Regi es cerra'o como una lata e leche.

Yo tuve un buen embajador. Su amigo de la infancia, del barrio, los *pitenes*[5] de béisbol en San Miguel del Padrón, lo que se dice su *panga*, su *panguita*, su *ambia culiñán*, hombre en la *poma*[6] y en el *tanque*[7].

—Vaya, Regi, un socito mío que lo único que está es en su curralo, periodista y en *candela*[8] con la *monada*[9].

Ese era yo. Y entonces el Regi estaba tranquilo, sereno, imperial en su sillón del portal de su casa.

—Así me gusta. A ver: ¿Qué tú quieres que te diga?

Alto, el pelo en deserción, vigoroso, 70 años, Regino ha cumplido dos condenas por banquero de la bolita. Hoy por hoy esa especie de lotería de barrio —que se tira en La Habana por una emisora de Miami y en el interior de Cuba por estaciones de Venezuela— es, junto a la pelota y el dominó el entretenimiento natural de los cubanos.

Para miles es mucho más que eso. Para el ejército nacional de banqueros y apuntadores, un medio de vida. Una manera de ganar dinero, con sus riesgos pero sin sufrir los horarios en fábricas, los sueldos de miseria y el agobio de la quincallería política que el gobierno impone a cada obrero del país.

—Yo siempre vuelvo a banquear porque esto es un negocio que da mucho dinero, es lo que he hecho siempre. De esto yo sí sé y como también nací en esta ciudad y me crié en este sistema tengo una idea de por dónde hay que entrarle. Ellos han hecho sus leyes para vivir bien. Nosotros las trampas para sobrevivir.

—En Cuba si usted tiene un buen dinero y no quiere que se le muera tiene que meterlo en la lotería. Con unos 70 mil pesos se puede en estos momentos fomentar un banco decente.

—Usted se busca 8 o 9 listeros de confianza, gente de la calle, con contactos y picardía, que trabajen. Ellos tienen que recoger las apuntaciones. Uno bueno te entrega mil pesos diarios. El *listero* se queda con el 20 por ciento de lo que recibe, para él, alrededor de 200 pesos diarios, 10 dólares al cambio actual.

—Además, yo les doy 40 pesos para gastos personales. Puede que alguno le salga a usted medio marañero pero en general yo no he tenido problemas con ninguno porque no todo el mundo se gana mil pesos semanales.

—¿La policía? Hacen sus redadas de vez en cuando pero eso no nos asusta. Yo llevo 30 años en el giro. Hace unos años eso era más estricto pero ahora hay una especie de pacto no firmado. Claro, eso no es así, uno tiene que trabajarlos y ganárselos.

—Yo no tengo problemas con la policía de mi zona. Hay algunos aquí que creen que yo colaboro pero es la policía la que colabora conmigo. Sin embargo, yo sigo alimentando esa bola porque así no me molestan. Tengo buenos amigos que me avisan cuando se acerca una redada, cuando se prepara una operación. «Tranquilo, Regi, que hay *movida*», y entonces yo tranquilo.

—Por Miramar y otros barrios de más nivel se está tirando la bolita en divisas. Han hecho bancos que recogen y pagan en dólares. Por aquí eso está verde todavía, aunque le estoy dando vueltas. Dinero tengo.

—¿Mi capital? No, no, hay informaciones que no se pueden dar, eso tú lo sabes, por discreción, para protegerme, por muy periodista independiente que tú seas.

Regi sabe lo que es el tiempo. Va a salir. La puerta del garaje está abierta. Se despide y entra en el carro. El Impala azul y crema sale silencioso hacia la avenida.

---

[1]Oriundo de las provincias orientales, al este de La Habana.
[2]Dar propina

[3]Negocio de juego ilícito.

[4]Cachita: Diminutivo, Tratamiento familiar y cariñoso con que los cubanos se refieren a la Virgen de la Caridad del Cobre, Patrona de Cuba.

[5]Equipo de pelota, la mayoría de las veces compuesto por cuatro o cinco jugadores en vez de los nueve que exigen las reglas. Se juega en las calles del barrio, en los parques y en cualquier terreno yermo. Con la pelota oficial o con una de goma, de tenis o confeccionada con papeles y cartones recortados.

[6]En la ciudad.

[7]Presidio

[8]Estar en problemas.

[9]La policía.

Los **Sitios**-New Jersey

«El camión está roto. Tengo hambre. Al camión le faltan las ruedas. Aquí pasa algo. Nadie me hace caso y, por lo tanto, me orino, tiro este jarro contra la pared, me asomo al balcón, viro al revés el velocípedo y tumbo la única silla que queda en el comedor».

—¡Coño, Aymara, dale una pastilla a ese niño!
—Si hubiera una me la tomaba yo. No una, cinco.
Se van. Mañana se van. Mañana, en un vuelo de 40 minutos se convierten en otras personas, en otra familia.

Cuarenta minutos en un avión y adiós a este cuarto y a esta barbacoa, adiós a Los Sitios. Adiós al Periodo especial, adiós al hambre física, la que duele y da sueño y desvelos y después deseos de vomitar.

Un vuelo breve hacia el norte y borran al Jefe del Sector, al oficial del G-2, los tres años en la cárcel de Manacas, los viajes a un calabozo cada vez que pasa algo o cada vez que la Seguridad quiere meter miedo.

Mañana, mañana al mediodía en el aeropuerto. Los guardias por última vez y al carajo Los Sitios, al carajo este cuarto al que en vez de entrar casi hay que ponérselo como un chaleco o una camisa de fuerza.

Qué trabajo cuesta zafarse de esto. Qué tiene este país, me duele hasta dejar la miseria colgando del techo como otro cielo raso. Y este problema de los viejos esos. Qué enredo.

Mire que le dije a Aymarita que se cuidara cuando andaba con sus locuras por la calle y yo preso en Manacas. Pero salió en estado. Dice que el novio era hijo de un general y yo preso. Cuando la madre se vino a dar cuenta, ya tú sabes.

Bueno, el asunto es que nació Danielito (ahora seguro le ponen Danny a ese cabrón, allá en New Jersey) y ya el hijo del general había desaparecido. Así que este muchacho de aquí, del barrio, que lo único que le interesa es su vida en el canto, la ópera y esas mierdas dijo que él lo inscribía para que Aymarita no estuviera sola con el niño y sin dinero para mantenerlo. Se hizo cargo, ellos eran amigos desde chiquitos pero el problema es que los padres de él se cogieron a Daniel. Con el hambre que había en este cuarto y convencidos de que era nieto de ellos se lo llevaron a la casa, cerca de aquí, ahí mismo, en la esquina y allí el niño tenía de todo y allí fue creciendo y los viejos locos con él y el muchachito diciéndole abuelito, abuelito y haciendo gracias y el día entero pa' arriba y pa' abajo con los viejos. Lo alimentaron y lo vistieron mientras yo estuve preso y después también porque yo en Cuba más nunca pude trabajar y estaba preso otra vez, a cada rato.

La cosa es que ahora ya hubo que decirle a los viejos que nos vamos. El cantante no se va porque realmente nunca estuvo casado con Aymarita ni se quiere ir ni un carajo, lo de él es el Gran Teatro de La Habana y esas boberías, y eso es peor, porque los viejos ahora gritan y padecen y sufren como animales porque se les va el nieto del alma, el hijo se queda pero se tiene que separar también de Danielito y lo de los viejos es una tragedia sin nombre. Están, desde hace días, tirados por cualquier rincón de la casa, no quieren comer, lloran por todo por nada y cuando ven al niño se ponen como locos, porque dicen que siempre les parece que lo ven por última vez.

Llevamos ya tres horas hablando aquí, en el comedorcito donde nos queda sólo una silla porque no estaba en el inventario. El refrigerador mío funcionaba pero la tipa de la Reforma Urbana trajo un casco viejo y se llevó aquel, todo el mundo quitándonos los despojos de la miseria, algunas cosas, las mejorcitas, se las dimos a mi familia. Las sacamos escondidas por la noche. Sentía una sensación muy rara, como si me estuviera robando a mí mismo. Pero estamos hablando de los viejos que están muy nerviosos y enfermos y también el niño está alterado, a esta chiquita lo único que se le ocurre en estos momentos es que le digamos a los viejos que el niño no es nieto de ellos ni un carajo, que el cantante nada más le interesa esa pajarería de la ópera y que no va sentir tanto la salida del niño.

De verdad que creo que eso sería más duro todavía, tremendo planazo decirle ahora que era de mentirita lo del nieto, que todo ese cariño se fue al aire, a la atmósfera, porque Danielito no es nada de ellos y que el hijo no es el padre ni lo quiere ser ni le interesa. No se sabe qué es peor. Llevamos horas en esa discusión. Qué trabajo cuesta todo aquí, qué jodienda es todo en esta isla, hasta irme, coño, porque me muero de pena por esa gente que nos tiró tremendo cabo y quieren al chiquito y ahora se quedan destrozados, en medio de esta ciudad que se está cayendo. Nos va a coger el día en esta trova.

«Esta gente sigue hablando y ni me miran. Voy a tirar el camión por la ventana. Voy a tirarme de cabeza contra ese librero vacío. Voy a dar un grito de esos largos como los que está dando la perra desde que oscureció. Voy a gritar para que se callen y me miren porque están hablando muy alto y mamá empezó a llorar. Ojalá que ahora mismo vinieran a buscarme mis abuelos».

Ciencia y artesanía del **adiós**

Irse es un desastre. Una catástrofe íntima. Un derrumbe total en el que se ve cómo desaparecen casas, calles, parques, personas, borrados por una fuerza en progreso que, finalmente, saca del paisaje el entramado de una vida.

Yo vi esta semana a la periodista Ana Luisa López Baeza en el artesanaje de su despedida.

La vi haciendo descender sus cuadros de la pared y la vi repartir, entre familiares y amigos, sus sillones desvencijados, sus electrodomésticos rusos, con ruido y todo, sus ropas usadas, las cacerolas con abolladuras y el arroz de la libreta de racionamiento que el viaje no le dio tiempo a consumir.

Fui testigo de esos gestos casi ridículos por el valor de las prendas y los chorombolos pero perfectamente humanos y normales en este país donde en muchos vecindarios se vive con una hermandad de mendigos.

Estuve presente cuando algunos vecinos fueron a despedirse, con miedo y cariño, una combinación angustiosa y abundante.

Asistí a esos abrazos silenciosos, la puerta entrejunta, que este es un barrio de funcionarios y cuadros del Partido. —A Rafaelito que venga ahora porque a lo mejor después se perjudica. A la vieja, que se ponga bien y que Dios la acompañe.

Desde mi puesto de observador vi cómo merodeaban los funcionarios de la Reforma Urbana, como buitres en su ronda sobre el mínimo apartamento de Ana Luisa y supe de llamadas amenazadoras: «No saque más muebles de su casa o pondrá en peligro su salida».

Una mañana entró una mujer con un metro, midió las paredes, miró detenidamente un escaparate y la luna de un espejo, la mesita de hierro donde la corresponsal pasó casi cuatro años escribiendo noticias y reportajes, los descabezados ventiladores chinos y antes de irse lanzó una mirada extraña hacia el sofá cama con problemas ideológicos: rotas y sin arreglo las dos patas izquierdas.

Supe de un viaje de Ana Luisa a Camagüey para ver a su madre y sus hermanos y visitar la tumba de su padre y la vi volver a distribuir los libros. «¡Dios mío! ¿Podré llevarme a Espronceda y a José Martí, me dejarán pasar a Darío y la Avellaneda?» La vi volver a empaquetar las fotos, los recuerdos, la ternura familiar, como si esas sustancias tuvieran dimensión, peso y textura.

La dispersión y muerte de la biblioteca de Ana Luisa me hizo recordar en estos días una imagen fatal de los primeros años de esta década.

Veo, ahora mismo, al escritor Bernardo Marqués Ravelo, meses antes de salir al exilio, allá en 1994, con todos sus libros en el portal de Infanta y San Miguel y a muchos de sus colegas del periodismo y la literatura, con algo también de buitre —o de aura tiñosa, para entendernos mejor—, regatear por T. S. Eliot, William Faulkner, Guillermo Cabrera Infante o Antonio Machado frente al hambre y el asombro del autor de *Balada del barrio.*

Esta, desafortunadamente, no es una experiencia única, porque la maestría en despedidas y fragmentaciones es ya otro de los dones de los cubanos que llevamos 40 años siempre despidiéndonos de algo o de alguien.

La reflexión sobre Ana Luisa López Baeza, al pie de la escalerilla, tiene que ver con mi incapacidad para acercarme, por ejemplo, a las circunstancias de las salidas de mi hija Cristina y de Miguelito Sánchez.

Es la distancia un prisma ideal para presenciar la tragedia individual de una persona que no quiere irse de su país pero que el trabajo científico de un grupo de especialistas del horror —con la experiencia de casi un siglo de totalitarismo— la expulsa de su medio natural, como una pieza rota.

Ana Luisa sólo comenzó un día a decir lo que pasaba en su país. A decirlo bien, profesionalmente, y revestida de una moral que perturbó a los zares de la información, la verdad y la vida en Cuba.

Cometió muchos delitos desde el petrificado Código Penal cubano pero a mí siempre me gusta recordar un verso de Gastón Baquero para definir la labor de los periodistas independientes en los últimos años: «Se había lanzado a una hermosa imprudencia».

Doy entonces testimonio de ese desastre individual que es irse. Y prefiero creer que son los relumbrones finales de una luz opalescente que, como diría el otro, agoniza.

Ahora sabemos, por todo lo que está pasando Cuba, que en el espacio que existe entre irse y volver hay que fundar la permanencia porque permanecer siempre será un antídoto contra el desencanto. Y un veneno para el olvido.

Con nombre de **bolero**

Guajiro, yo te conozco a ti desde muchacho y sé que eres un hombre de trabajo pero ahora sí estás metío en las patas de los caballos. Mañana mismo me empiezas a trabajar. Se acabó ese cuento de la finquita de tu padre. Trabajar aquí, en Ciego de Ávila para que todo el mundo vea que nosotros no creemos en grupitos ni en denuncias por radio.

Tienes que *pegar* en Comunales, limpiando y chapeando. Limpieza de calles y chapeos de cunetas. Te me presentas mañana a ver al jefe de la cuadrilla de la carretera de Morón. Tú verás que te enderezas y se te quitan todos esos líos de los derechos humanos y esa bobería.

Y deja las llamaditas, guajiro, deja el teléfono y ponte a trabajar. Tú tienes mujer y dos hijos, saca la cuenta y aconséjate. Te voy a hacer la vida un *yogur*. Tú sabes más de cuatro cosas.

Yo sé que tú eres un hombre tranquilo y trabajador pero por culpa de ustedes la gente va cogiendo *fiao*. Mira ese muchacho que se llama igual que el Comandante. Le metimos cuatro años por desacato, se embulló y empezó a gritar «abajo Fidel, lo di-

ce Fidel Castro». Cuatro años, y se está complican-
do en prisión, ustedes mismos lo mandaron a decir
por radio. A la prisión se entra, como dijo el fiscal Escalona, pero no se sabe cuándo se sale.

Guajiro, empieza a pinchar[1] mañana y deja la
bobería que esto no es La Habana ni Miami. En esta provincia no vamos a permitir más mariconerías
de esas. Aquí manda el G-2 y hacemos lo que nos
da la gana. Ni Ginebra ni España ni un carajo. No
te dejes engañar por nada de eso, Antonio Feme-
nías, ya tú tienes 50 años y sabes que yo, aquí, soy
tu dueño.

---

[1]Trabajar

Las **piedras** de la verdad

En lo más alto de El Vedado, en la leve colina que corona la Avenida de los Presidentes, una dinastía de poetas y filósofos habaneros ha levantado el santuario del graffiti.

«Las inundaciones no surgen porque el río se desborde, sino porque el país se hunde», escribe un tal Alberto, con tinta negra en una de las columnas del monumento a los presidentes constitucionales de la República.

Ese es el sitio elegido por los artistas para inscribir mensajes, poemas y admoniciones sobre las columnas y la base del grupo escultórico que se levantó a los políticos que gobernaron Cuba antes de 1959.

En la piedra de cantería del conjunto aparecen, junto a versos de autores universales, pequeños avisos escritos en códigos secretos, amargas oraciones sobre el destino del cubano de hoy y espléndidos textos de amor y desamor.

«Patricia quiero volar contigo de este mundo. *El Chiqui*».

Kim garabatea estas dos frases: «La droga puede ayudar a encontrar el camino pero no es el camino» y «El orgasmo es la elevación del espíritu hasta alcanzar a Dios».

En una alusión al afán de las autoridades municipales por desterrar las palabras de las paredes con la visita frecuente de equipos de limpieza, Jacinto conjuga de esta forma el verbo pintar: «Yo pinto, tú pintas, él pinta, nosotros pintamos. Ellos borran».

Enseguida otra sentencia: «La vida es rock y sexo».

«¡Oh, columna en penitencia! —clama otro autor— Denme tan sólo una señal de ella. Lina, ¿Dónde estás?»

Hay, en la misma línea del amor, notas más conversacionales, intensas y directas: «Pelusa, no te doy permiso para morirte. *Rosquete*».

Allí están las angustias, los amores, las preocupaciones de estos jóvenes habaneros. Siempre renovándose en el empeño por quedarse en la piedra.

Termino con una nota optimista de Cary, grabada con caligrafía insegura, a la entrada misma del monumento.

«Carlos: ¿Nos besaremos alguna vez en estas columnas? Espero que sí. No siempre habrá apagones».

Tenencia **ilegal** de alma

Unos minutos después de las 5 de la tarde del 16 de diciembre de 1996, Eduvino Valdés decidió matar a su mujer. Matarla y matarse. Morir también, en el mismo lugar, en la casita donde llevaban doce años.

—Se acabó, esta mujer no me jode más la vida, no se burla de mí ni me va a dejar ahora. Ahora que estoy casi con sesenta años, retirado, enfermo, sin dinero, sin ropas que ponerme. No se va a ir con otro y tirar estos años y esta historia como si fuera un trasto viejo al sol y al sereno.

Así es que Eduvino entró en su casa del municipio de La Lisa, en el número 10105 de la calle 101. Entró, fue a la mínima cocina, tomó el cuchillo (reducido por el Período especial al lujo de las especies) y enrumbó hacia el cuarto donde había escuchado moverse a Mayra.

La primera cuchillada la tiró con toda su alma. De las otras dos no se acuerda. La memoria regresa cuando ya él se estaba desangrando en el piso, con un tajo de diez centímetros en la garganta. Antes de perder el conocimiento vio su zapato izquierdo, punta de estilete y tacón *jolivud*, manchado de rojo oscuro y volteado, como herido, junto a una de las tres patas del palanganero.

En el hospital Carlos J. Finlay, a la mañana siguiente, comprendió que no podía hablar, que tenía fiebre, que se estaba muriendo y que se había vuelto loco.

Su hermana le dijo: —Estás bien. No te preocupes. —Entonces se volvió y se quedó dormido.

Eduvino recuperó la voz a los cinco días. Esa mañana fue a decirle a la madre: —Dame el lápiz —y escuchó su timbre de siempre, pero como pasado por un filtro—. Dame el lápiz.

La decena de papelitos que había utilizado para comunicarse con su familia durante los primeros días de la convalecencia son hoy sus obras completas. Tiene en un sitio especial uno que redactó llorando cuando el alta a Mayra, 72 horas después del episodio.

«Estoy arrepentido de todo. Fue un error. Me jodí la vida para siempre. Ahora esta gente puede hacer conmigo lo que quieran».

Valdés era hasta el 16 de diciembre de 1996 el principal inspirador de un grupo político de oposición. Era un Movimiento de base, asentado en el municipio de La Lisa, en el oeste de La Habana. Un barrio difícil, con un alto índice de desempleo, un gran foco de marginalidad, una zona peligrosa donde Valdés y sus principales colaboradores se desenvolvían bien y tenían un apoyo popular importante.

La policía política cubana tiene como una de sus líneas maestras de trabajo represivo vincular a los opositores pacíficos con delitos comunes para sacarlos del juego sin comprometer la imagen del gobierno. En muchas oportunidades a conocidas figuras de la disidencia se le han imputado faltas, que el Código Penal vigente condena con años de cárcel. En 1995 quisieron implicar a Elizardo Sánchez Santacruz en un asunto de compra ilegal de gasolina y de tenencia de aceite de cocina adquirido en la Bolsa Negra. Era demasiado burdo y el plan fracasó.

Pero Eduvino Valdés le estaba poniendo en las manos a los agentes que siguen el trabajo de la disidencia la soga para que lo maniataran.

Ya en las primeras actuaciones de la policía, en el proceso por intento de asesinato, uno de los funcionarios le dijo a Valdés: —No te vayas, que alguien quiere hablar contigo.

En un despacho pequeño, el buró de siempre con unos papeles ásperos y amarillos, una costra de churre por barniz, estaba el oficial de la Seguridad del Estado que lo había arrestado 16 veces por actividades políticas.

—Bueno, Eduvino, mira por dónde te agarramos. Se acabó el «Panchito Gómez Toro» y tus derechos humanos. Vas mansito pa' la prisión. Tu mujer no te acusa pero te acusamos nosotros. Así es que tranquilo con tus amigos periodistas. Tus compañeritos gusanos no pueden hacer nada ni formar escándalo. Esto es un delito común.

—Cógelo con calma, Eduvino, allá vas a tener tiempo de acordarte de tus años en Pinar del Río, del timón que halaste en las guaguas de La Habana, y de las poesías de amor que siempre te quitábamos en los registros. Callao y tranquilo, Eduvino, que cualquier cosita política ahora es un agravante para lo que te viene pa' arriba. Calla'o y tranquilo que se te *trancó* el dominó.

Moneda nacional

No era el mejor día de su vida. Estaba amaneciendo y dentro de una hora la trasladaban para la cárcel de mujeres de Manto Negro, al sur de La Habana. Se sentía sucia y abandonada. Tirada en la cama que estaba sujeta a la pared por dos cadenas. En el bolsillo de su *jean*, ahora pesado y áspero contra su piel, había encontrado un billete de tres pesos, doblado 32 veces. La imagen del Che Guevara, imperceptible ya sobre el fondo naranja.

Estaba cansada y pesimista y un poco enferma. Iba a cumplir sus dos años de prisión y tenía que seguir viviendo. Eso, tenía que vivir para su lucha, para volver a los hijos, a los amigos, a la gente querida, para sentirse otra vez joven, limpia, bella en una playa o en una fiesta con mucha música y mucha alegría.

«Tengo que avisarle a mi familia», pensó. Enseguida se puso a alisar el billete opaco, como de goma, empercudido por su paso de mano en mano de gente pobre.

La mujer pequeña y delgada, que estaba sentada frente a ella en la otra cama, le dijo sin mirarla:

—Yo tengo un mocho de lápiz. Ve a ver si te sirve para algo.

Tomó el pedazo de papel moneda y vio la barra de grafito perdida en los bordes de la madera. Con esa materia roma y gris escribió en el billete: «Soy Mercedes Parada. Me llevan para Manto Negro. El que encuentre este mensaje favor de llevarlo a mi familia a la casa número...».

Una hora después, dentro de la pequeña furgoneta rusa, marca WAS, conocida por los cubanos como Guasabita, Mercedes comenzó a buscar una hendidura, un pequeño hueco en el piso para dejar caer el billetes de tres pesos, impreso en secreto en un taller de China o de Checoslovaquia.

Antes de salir del municipio logró tirarlo directamente a la calle. Se sintió vacía y triste y sola, muy sola, mientras el carro buscaba las últimas casas de la ciudad.

Al atardecer, entre dos luces, un desconocido tocó a la puerta de la casa de Mercedes. Sacó del bolsillo un billete estrujado y escrito y le dijo a la muchacha que estaba en el umbral:

—Este dinero es suyo.

(S)obras **escogidas**

Este verano, Pepito, el irreverente niño de los cuentos inventó un detector de orientales.

Salió a su barriada habanera con un casco de constructor en la cabeza y al encontrarse con un sospechoso le hacía esta pregunta:

—¿Qué traigo puesto?

Si el desprevenido ciudadano respondía:

—Un caco —de inmediato Pepito comunicaba a la policía la presencia de un *palestino* (como le llaman popularmente a los orientales) en esa zona de la capital.

La ausencia de la ese intermedia delataba al hombre como original de la región oriental de Cuba. Para los alertas y avisados que ya conocían la trampa prosódica, se apresuraban a responder: «Un casco». El terrible Pepito tenía una segunda interrogante truculenta: «¿De qué material?» —Si el sujeto decía: «De plático» —se ganaba de inmediato su pasaje de vuelta.

Esa es una de las reacciones populares ante la medida de regresar por la fuerza a miles de hombres y mujeres de las provincias del este cubano, que en los últimos años emigraron a la capital en busca de un poco de bienestar personal y familiar.

Pero un proverbio oriental —esta vez chino— dice que el pueblo verdaderamente feliz es el que sonríe no el que ríe, y estamos ante el caso porque detrás de esos y otros cuentos de camino puede verse la sombra de una amargura y de otro elemento pernicioso en el alma de la gente y que en la calle, y para el cubano, se llama roña y en español clásico, reconcomio.

Siempre a través de chistes y refranes y comentarios chispeantes se han encarado los problemas más graves y los irrisorios. Esa maestría un poco patética del cubano le ha dado seguridad a grupos de poder, convencidos de que por esa vía se puede drenar la carga de frustraciones populares.

Pero ya no es así. Un viajero llegado en estos días de la zona oriental de Cuba, me dijo que había sentido un poco de rechazo cuando se identificaba como habanero.

—No somos nosotros quienes los estamos sacando de la ciudad —explicaba el hombre, pero aquellos cubanos se sienten molestos y heridos y, algunos, asumen el conflicto como un asunto de regionalismo.

Las capitales de todos los países normales del mundo siempre han estado y estarán llenas de ciudadanos de todo el país y esta Habana, con decenas de miles de casas en peligro de derrumbe, no ha sido la excepción.

Esta ciudad, casi sin agua, con miles de núcleos familiares en albergues colectivos, con sus casas de citas convertidas en viviendas miserables, con el señorío de los basurales y con un intermitente abastecimiento de comestibles es cierto que tiene mucho que ver con una bomba de tiempo.

Claro, que no son ni los habaneros ni los orientales —o por lo menos la mayoría de los orientales— los responsables de esas calamidades.

Son las autoridades. Los alcaldes alegres y distendidos, los funcionarios incapaces e indolentes y una política de vitrina donde siempre ha importado más mostrar una imagen de estoica valentía y arrebato revolucionario que los sufrimientos de una vida cotidiana, que es ya una muerte diaria.

Son 40 años de abandono. Cuatro décadas sin arreglar una ventana ni dar un brochazo a la que fue (y volverá a ser) una ciudad bella y noble.

Este es un mal momento para que los cubanos comencemos el necio juego de los odios regionales porque la isla tiene espacio y potencialidades para los que vivimos en ella y para los que han tenido que salir y quieran volver un día.

Sí, estos son tiempos de unidad, pero no de unidad bajo consignas o ideologías, sino de la gente que vive los rigores de las consignas y las ideologías, sus agobios y sus intolerancias.

La medida gubernamental para sacar a los orientales de La Habana es selectiva y responde a urgencias económicas del país. Lo mismo que el hecho de poner la ciudad bajo un microscopio para ver dónde vive cada uno, con quién y en qué circunstancias, tiene más tinta policial que sociológica.

Estas leyes, decretos, indicaciones, órdenes, ukases y orientaciones pueden traer más turbulencias a una sociedad que necesita sólo paz, coherencia, tiempo y libertad.

El detector de orientales de Pepito es una vergüenza para quienes lo propiciaron y una mancha para la cubanía. Es verdad que los cubanos de Oriente se comen las eses y las ponen donde quieren, es cierto que los habaneros dicen pagque y calbón y que los pinareños siempre andan con una ene de más y no llaman a su bella capital, Pinar del Río, sino Pinán y no dicen que la cosa está difícil sino defécel y que los camagüeyanos todavía dicen voj sabéis, cómo táis, que táis más gordo, pero lo que sí todo el mundo sabe decir, muy bien, donde quiera que haya nacido y donde quiera que viva es ese dulce vocablo mágico: Cuba.

Nuetro ombre en **Labana**

¿Quéseto, compai? Eta gente de Labana no dise paletino a nojotro porque nasimo en Oriente. Yo no sé ni dónde etá la paletina esa y pa mi eta ila e una sola y toj lo que nasimo en ella somo iguale, dise el gobierno. Yo soi polisía del gobierno, compai. A mí me llamaron a un lugar aí de mi pueblo, Contramaetre, y cuando bine a ber ya etaba betío e polisía y uno aí me dijo, bueno, compai, ya etá, ere la autoridá y aora te ba pa Labana. Qué cosa, la pitola, el uniforme, una botas de baquero y dociento cincuenta peso, catre y jama y lo que se buca uno con lo litero de bolita, con la jente de lo negosito y si se pué se le mete una belocidá a una jinetera y te tiene que jiñá uno fula pal jabón y una cobita. Etoi bibiendo en la unidá pero no ai momento fijo pa que me empate con una de esa de Labana y me le embase en el gabinete. Ya yo tengo bentidó año y no boi patrá, pa Contramaetre, a la cañandonga y al sol arriba ocho hora y lo que le diñan a uno e un sellito y cuando ma una bentana o una piedra fina. Quebá, compai, aquí etá el turimo y lo etrangero y eto abanero alardoso y bretero que ponen malo el picao de be en cuando porque la han cojío con nojotro. Paletino bete pa tu gao, díseme un negrón el otro día y me le rebiré y le soné un gomaso poel lomo que ese no le dise paletino a ma nadie. Soi la autoridá no le permito a ningún abanerito de eso que me diga paletino ni que eté preguntando diresiones porque e pa bularse de uno. Te dise: ben acá dónde etá el etadio del serro y el opital calito garcía. Eso pa que tú no sepa y depué te disen: ben acá asere tú no ere polisía. Cuando se me bensa lo mese de serbisio yo rengancho y pa eso si a ma no biene etoi trabao con un materialito y lebanto mi barbacoa y mando a bucar a mi ermano el ma chiquito y lo meto en la unidá a barrer o a cocinero, él se le cuela a eso. La cosa e —con el mayor repeto— no cojer pala berdolaga. En Labana se le pega a uno de to, su serbecita boba, su uiqui sonso, su taquito ribú, óigame ese Oriente etá que arde, compai, no aparese ni el fongo, la jente etá que jama caguallo. En Labana etán lo abanero que son uno pesao y alardoso, se cren mejor que to el mundo pero eso sí yo soi la autoridá y ello me repetan. Ete gobierno me bitió de polisía y lo que diga ete gobierno e la berdá y en la atividade política de la unidá yo digo mi consina to lo día y formo mi gritería que si el imperialimo que si la rebolución que si el partido, que si lei jelbulton porque yo no etoi en na pero lo mío no me lo pone malo ningún sonso deso de lo derecho umano ni lo batitiano ni lo yuma. Soi la autoridá y decojono al pinto e la paloma, compai.

Crónica roja

El Estado cubano trata de llenar las prisiones del país para detener la ola de robos, asaltos, asesinatos, estafas y la corrupción general que sufre esta sociedad petrificada, pero lo que tiene que llenar son los mercados.

Es un juego turbulento donde una fuerza poderosa cierra las puertas, pone emboscadas en los caminos, traza reglas de asfixia y cuando la gente trata de moverse y sobrevivir en ese terreno minado, va a parar a un calabozo.

Esa es la realidad de una Cuba anclada al borde del siglo XXI en la que las autoridades piden sentencias ejemplarizantes para ciudadanos que viven —en el plano de sus economías— como en los primeros años del siglo XX.

Los encapuchados que asaltaron una tienda de dólares en Las Tunas no surgen de los *thrillers* de la televisión sino de los barrios marginales, de la libreta de racionamiento y de la desesperanza.

Los hombres siempre esperan de los gobiernos prudencia y sabiduría, y ahora en Cuba las autoridades han sacado la espada cuando tenían que sacar cuentas.

Estos tiempos reclaman no aumento del sueldo a la policía sino la apertura de mecanismos para que los que ya están pensando en la forma de delinquir puedan ganarse el dinero básico para vivir decentemente.

La postura de un alto jefe policial y otros líderes políticos llamando al combate contra la delincuencia declina y se derrumba porque es la torpeza y el empecinamiento de ellos mismos lo que ha producido una sociedad enferma.

Y esa patología tiene diversas gradaciones. A veces la dulce prensa oficial reporta algún robo importante, como el publicitado caso «Arroz con leche» en el que un grupo de santiagueros se apropió de centenares de sacos de arroz y de leche en polvo destinados al consumo de la población.

Ahora, los medios cubanos embelesados por los éxitos de la diplomacia local, los cumplimientos de los planes estatales y las visitas de políticos extranjeros, nunca toca la orgía que envuelve la vida cotidiana con actos de raterismo, arrebatos de cadenas y relojes.

Esos son ladrones sin pretensiones, simples, ocasionales, que sirven para reflejar la desesperación de un sector de la población.

No era un truhán de linaje el que se robó de la casa de un periodista independiente, hace una semana, en el municipio Playa, dos bicicletas, dos huevos de gallina y un pedazo de pollo.

Tampoco era de mucha altura el joven que vi a las 2 de la tarde de un jueves, en Belascoaín y Reina, tratar de arrebatarle un reloj a un tipo que conversaba con una mujer.

Seguramente era un villano con imaginación y necesidad el que se llevó una madrugada el motor de agua del edificio donde vive un amigo mío, en Centro Habana.

Nadie se enriquece con esos robos, de modo que no sé qué rara inclinación a favor del hombre me obliga a creer que si muchas de esas personas, la mayoría jóvenes, como es de suponer, tuvieran un trabajo fijo y bien remunerado, vislumbraran un futuro de superación personal y bienestar, no correrían el riesgo de caer bajo la espada que se levanta sobre la República.

Eso. Abrir y llenar mercados, no prisiones. Abrir y darle la oportunidad a la gente para que ejerza su soberanía individual y ponga al servicio de su familia y su país el talento o la fuerza (o las dos cosas) conque vino a pasar por la tierra.

El **soñador** de Boniato

—Era un preso raro, solitario, siempre un poco soñoliento y torpe. Tendría unos 40 años cuando lo conocí en la prisión de Boniato en la zona oriental de Cuba y creo que andábamos por el invierno de 1981. Algunos de los que ya estaban allí cuando él llegó, amigos y conocidos de Santiago de Cuba, le dieron la cobertura mínima para soportar los dos años que debía estar en la cárcel.

Sólo con ellos hablaba de vez en cuando y fueron sus coterráneos los que le bautizaron con ese sobrenombre un poco ampuloso y extravagante: *El soñador de Boniato.*

Se llamaba Ibrahím y en la alta noche solía despertarse dando gritos y atemorizado con unas pesadillas casi bíblicas, como su nombre.

Filo, uno de los pocos santiagueros que compartía con Ibrahím en ocasiones fue el que me contó su pequeña historia criminal.

El hombre, que estaba sin trabajo, tenía dos hijos y vivía agregado en la casa de una tía de la esposa, se bebió una tarde unas botellas de ron con dos amigos, como saladito consiguieron unos macarrones que frieron y les pusieron abundante sal.

Se emborracharon, cantaron y al final cada uno se fue como pudo para su casa.

Ibrahím soñó esa noche que conseguía un bote grande, seguro, pintado de azul y blanco. La embarcación tenía un nombre escrito en la popa pero en el sueño él nunca pudo leerlo. Siempre estaba borroso aunque cree que era el nombre de un pájaro. Soñó que remaba vigorosamente y que sus hijos, uno de 8 y el otro de 10 años, le ayudaban con unos remos pequeños, de metal, mientras su mujer rezaba y miraba muy fijo el agua azul. De pronto pasó frente a ellos un barco muy grande, como los que había visto en las películas y un marinero que, desde luego, iba vestido de azul, le dijo: «Oiga, amigo, va rumbo a Jamaica».

«Me equivoqué, coño», pensó Ibrahím y cuando trató de cambiar el rumbo de su barco blanco y azul con la fuerza de los remos escuchó que su mujer le decía con voz de ultratumba: «Ibra, Ibra, me vas a tumbar de la cama».

Se despertó y comenzó la rutina de todos los días. A las 9 de la mañana estaba en el parque Céspedes, de Santiago, contándole a los socios el sueño del barco y dando lujo de detalles del trasatlántico extranjero y de su bote seguro y con nombre de pájaro.

Una semana después una pareja de agentes de la Seguridad del Estado lo fue a buscar a su casa y lo arrestó. Ibrahím casi se vuelve loco, dice Filo, cuando en el tribunal leyeron la causa por la que se le juzgó: «Intento de salida ilegal del país».

Trespatines: 40 años de soledad

Cuba sigue siendo un país tocado por la fortuna de un humor agudo y desaforado, sólo que la gente ha aprendido a disfrutar de los chistes de una forma cerrada y conspirativa porque esos chispazos de ingenio o alegría viven aquí bajo la amenaza de la necedad y la censura.

Es cierto que José Candelario *Trespatines*, Chicharito y Sopeira y otros muchos grandes personajes del humor local se fueron del país con los actores que los interpretaban. Pero se sabe también que los tipos que los inspiraron siguen viviendo en Cuba.

Aquí están, pero el humor que generan cada día, las situaciones que podrían hacer reír o llorar a millones de televidentes en la isla y en otras partes del mundo tienen clausuradas las puertas de los medios masivos de comunicación.

Nadie va a creer que el talento se esfumó con la presencia de las estructuras totalitarias, lo que sucede es que esas estructuras ordenan cerrar cámaras y micrófonos, periódicos y revistas a cualquier signo que pueda degradar, ofender o molestar la inmaculada moral de la nomenclatura.

Pienso que hay en este país hombres y mujeres con capacidad y talento para haber mantenido el alto nivel del humorismo criollo de todos los tiempos. Hacerlo llevar a la mayoría es otra cosa porque en esta sociedad hasta la más raída carpa de circo tiene detrás 10 burócratas recibiendo y bajando orientaciones.

En tiempos recientes, sin embargo, algunos grupos de jóvenes, audaces y honestos, han logrado apropiarse de espacios mínimos y de vez en cuando logran en reducidos locales y en dos o tres funciones llevar un mensaje de humor con bastante carga crítica.

Esos ensayos constituyen, a mi modo de ver, una manera de dejar fluir el vapor en que se coce esta sociedad y, de cierta forma, un intento de banalizar los graves problemas que vivimos.

Lo cierto es que en los medios masivos sólo hay cabida para un humorismo estirado, de indumentaria stalinista, proclive siempre a plantear las cosas en blanco y negro y en términos tan simplistas que son ofensivos a la capacidad y la inteligencia del destinatario.

Las víctimas preferidas de muchos caricaturistas de las páginas humorísticas son las muchachas jineteras, los dueños de las paladares y los cuentapropistas[1] en general.

Es fácil hacer chistes con las jineteras, lo complejo es hacerlo con quienes llevaron al país a producir ese grupo humano después de comprometerlo con la indigencia, las penurias y la desesperanza.

Un boletín que circula ahora en La Habana está dedicado, íntegro, a ayudar a la campaña nacional para que la ciudadanía llene sus planillas del pago de impuestos. Eso es un gran chiste. Sobre todo en un país donde una vez se dijo que los pantalones en vez de bolsillos se iban a confeccionar con ganchos porque todo se iba a pagar en vales.

Hacer humor desde el poder es difícil pero hacerlo desde el poder absoluto es absolutamente imposible. Por eso las tiras de caricaturas que a veces incluyen los semanarios, las campañas gubernamentales apoyadas por esos artistas son recursos tirados al vacío.

Lo de nuestro humor es, como muchas otras cosas en este sitio, un verdadero drama. Trespatines no sólo está vivo sino que ahora, en esta mezcla de capitalismo miserable con socialismo en retirada, su picardía y sus inventos son más necesarios que nunca para sobrevivir.

Está vivo pero anónimo, moviéndose en el pueblo de donde salió, *resolviendo*[2] con la ayudita de un hermano que tiene en Miami, «luchando en la calle» hasta que vuelvan a celebrarse en su patria juicios públicos, radiados a todo el país, con un juez que lo condene en versos.

---

[1]Trabajadores autorizados por el Estado a tener sus pequeños negocios, cuyos propietarios están obligados a pagar contribuciones excesivas.
[2]Escapando de la situación económica.

La oveja Dolly, el **lobo** y el bosque de La Habana

El mitin de repudio es una fiesta de odio estatal. Es el punto más bajo, peligroso y denigrante que ha alcanzado el pueblo de Cuba en el gobierno de Fidel Castro.

Esas citas, convocadas por el Ministerio del Interior, son el único mecanismo represivo criollo que no tiene estirpe stalinista. Su raíz es China, es un aporte del camarada Mao, traído al trópico después de estrenarse con éxito durante la Revolución Cultural de fines de los 60.

Durante aquel proceso de purificación asiática recuerdo el caso de un eminente cultivador de orquídeas acusado, junto a su esposa, de «perros burgueses» porque permanecían hasta la media noche jugando cartas en su residencia.

El científico y la mujer se pasearon un día entero frente a su centro de trabajo con sendos letreros en el pecho que decían: «Somos unas víboras lúbricas y unos lobos feroces».

En 1980 vi a una ingeniera, de 56 años, especialista del Ministerio del Azúcar, descender por la céntrica avenida habanera de la Rampa, rodeada

117

por una turba que la insultaba. Colgado al cuello llevaba un cartelón con esta leyenda: «Soy una traidora y una hija de puta». En los circos romanos de los 80 se llegó hasta el asesinato.

Aquellos mítines, provocados porque miles de cubanos decidieron abandonar «el paraíso bello de la humanidad» se ordenaron para atemorizar a la gente y detener la oleada de viajeros. Es decir, se les dieron porque querían irse. Los de los periodistas independientes, preparados por la policía política, se dan porque queremos quedarnos.

En los del inicio de los 80 había más grados de odio que en estos mítines finiseculares. En aquellos se lanzaban piedras, huevos y tomates, y cartuchos de excrementos y desperdicios.

Para los de ahora no hay huevos ni tomates y puede haber comenzado a escasear hasta la mierda. Quedan las piedras pero estuvieron prohibidas por los organizadores que pastoreaban el rebaño desde briosas motonetas soviéticas.

El mitin de repudio es un homenaje a H. G. Wells. Es un tributo del Partido Comunista de Cuba a la máquina del tiempo porque es un retorno a las cavernas, a la barbarie y es, además, una especie de clonación involutiva, donde los científicos del socialismo caribeño no buscan el ejemplar mejor sino el más elemental e imperfecto, el más cruel, el más cercano al animal.

Los que diseñaron el Sistema Único de Vigilancia y Protección (SUVP), un organismo paramilitar que funciona en el nivel de la comunidad, para los periodistas independientes siguieron este patrón: se produjeron siempre entre las 8 y las 9 de la noche. Se llevó ante las casas de los profesionales alrededor de un centenar de personas residentes en barrios lejanos, agentes de civil y pre-reclutas de la policía, provenientes, en su inmensa mayoría, de las provincias orientales.

Una vez apostados frente a la vivienda de la víctima se leyó el artículo 8 de la Ley de la Dignidad y la Soberanía, conocida como «Ley Mordaza». Al concluir la lectura de esos párrafos que condenan —no se sabe aún con cuánto de prisión— cualquier colaboración que favorezca a la aplicación de la ley Helms-Burton, el guía y líder del espectáculo anunciaba que en la vivienda señalada estaba instalada una de las personas que incurrían en el delito delineado por la ley. Y, entonces, empezaban los insultos.

—Traidores, anexionistas, agentes de la CIA, vendepatria, batistiano, empleado del gobierno yanqui, etc., etc., etc.

En algunos casos, desde luego, se llegó al ataque personal, amenazas de golpizas y muerte. Después de dos palmadas de los agentes de la Seguridad.

El mitin de repudio es el hecho público creado por el castrismo que más humillación concita en cada acto. Los que van a gritar y a insultar no conocen a la víctima. De modo que el odio se hace crecer en el individuo por la información que facilita el Ministerio del Interior. La persona llega y comienza a gritar consignas y a maldecir al que, humillado, vilipendiado y agredido, debe permanecer tranquilo en la casa sin dejarse ver, porque es peor.

Por la desastrosa situación que se vive aquí, a los cinco minutos de estar lanzando odio y amargura contra un objetivo invisible, los productores del mitin comienzan un proceso de exorcismo. Gritan contra sus frustraciones, sus limitaciones materiales, contra la falta de alimentos y de libertad, contra quienes les obligan a gritar y contra ellos mismos, que es también un objetivo de los diseñadores. Que sepan que el próximo puede ser cualquiera de ellos.

Los mítines de repudio son la más terrible ofrenda de vergüenza, deshonor y ruindad que los cubanos hacen al comunismo.

La distancia es el **olvido**

Los ataúdes en la ciudad oriental de Manzanillo tienen el forro de tela arrugado y con manchas, los clavos están a la vista, la madera desencuadernada y la tapa siempre fuera de nivel. A la hora de partir el entierro, un lúgubre empleado de la funeraria se acerca al féretro martillo en mano y le mete dos clavos finales, como cierre de una ceremonia impersonal, mecánica y despiadada.

Esta es la impresión de una dama manzanillera contada en un periódico de La Habana en la primavera de 1997. La señora, una jubilada que omite su nombre porque desprecia el protagonismo, según sus palabras, narra la conmoción de que fue víctima al asistir a un funeral en la ciudad de Holguín, ubicada muy cerca de Manzanillo, pero que pertenece a otra provincia.

«Estaba en la funeraria —dice la dama— y llama mi atención el ataúd. No lo podía creer. La tela del forro era igual a la que usan en Manzanillo... pero no era igual. ¡Qué artista hizo el ataúd! La tela bien cortada, el doblez parejito. Me puse de pie y busqué los empates. Estaban disimulados con tachuelitas niqueladas. El cristal perfecto. Lo estudié todo, nunca había visto lo correcto y eso me resultaba increíble».

A la hora del entierro el empleado procedió a colocar la tapa, la cerró con llavecitas niqueladas... ¡Qué lejos está Manzanillo de Holguín!

Síntesis biográfica

Yo soy Pedro Morales Cárdenas. Voy a cumplir 78. Estoy bien de salud, me siento fuerte y ahuyento la esclerosis leyendo a Edgar Lee Masters, a Chejov y a Francisquito Kafka, ciudadano de Praga.

De joven estudié literatura. Me licencié en inglés y trabajé de profesor por cinco décadas.

Me casé con Bertica Fernández Alvariño, una muchacha alta y católica, linda y un poco loca que en 1993 murió en La Habana de neuritis y tristeza. Cerró los ojos y se fue sin quejarse, ni gritar ni nada.

En su cama de enferma solo pidió que le contara, día por día, un tiempo que pasamos en la playa (Bailón del Sur, Pinar del Río, años setenta) cuando Marire y Pepe se casaron.

Solo eso.

Nuestras dos hijas emigraron. Los nietos más chiquitos los he visto por fotos y dice Katia que pregunta por mí. «Papa —escribe desde Nashville— quieren que les hable del abuelo. Eso es la fuerza de la sangre».

Vivo solo.

No me alcanza el retiro y en el asilo, aunque hay escaseces y abandono, voy pasando.

Me reconforta saber que cumplí siempre. Aquí tengo conmigo los bonos sindicales, mis medallas y los certificados de toda mi vida laboral.

Satisface saber que uno ha sabido labrarse un porvenir.

El llanero **solitario** no come cake

Cuando Norberto Fuentes llegue al cielo lo va a estar esperando —de pie frente a una barra de algodón, en la mano una copa en forma de platillo volador llena de daiquirí salvaje— el viejo Ernesto Hemingway.

—Tengo algunas iudas (dudas, nunca pudo pronunciar bien esa palabra en español) sobre el libro que escribiste de mi vida en Cuba, muchacho. Eso dirá en tono amenazador el dueño de El Pilar.

También conozco la respuesta de Fuentes: —Mira, viejo, déjame entrar y dame un abrazo que vengo fatal y aburrido de guerras y mezquindades.

Y Ernesto lo llevará a tomar un cortadito, porque en esas instancias eternas el autor de *Condenados de Condado* seguirá siendo un abstemio ortodoxo.

Las dudas de Hemingway son razonables porque después de 7 años de investigación y unos meses de redacción a marcha forzada Fuentes entregó a la imprenta centenares de cuartillas, fotos, documentos que pusieron bajo un reflector la fragorosa estancia de 21 años de Hemingway en este país.

Fue un trabajo riguroso y hondo, profesional y erudito, un acercamiento afectuoso al paso del gran escritor por Cuba y eso le dio a Fuentes —o Fuentes se creyó en el derecho de ante un vacío de información, una anécdota en el aire, una noche sin final o un episodio confuso— poner un aplique, decidir que hubiera hecho el escritor ante tal situación. Inventar como si Hemingway no fuera un pobre ser humano sino un personaje de una obra de ficción.

Algún día en una revista literaria, no en estas páginas, podré contar en detalles por qué serán justificadas las dudas de Hemingway y por qué en vez de una copa podría tener en la mano su viejo Winchester o la hermosa escopeta de cañones de plata que tenía aquella mañana de domingo en Ketchum. Lo que pasa ahora es que Ernestico Miller Hemingway, aquel niño de Oak Park, va a cumplir 100 años y en Cuba una hacendosa comisión de desconocidos (y lo que es peor de desconocedores) prepara la fiesta. Aquí siempre hay alguien dispuesto a celebrar cualquier cosa.

El Centenario de Hemingway no es cualquier cosa y en estos momentos más que un rumbón ideológico, que es lo que se cocina, se necesita una reflexión sobre la vida del autor norteamericano en Cuba, sus aproximaciones con la gente, su estancia compleja, ríspida y suave, su manera de relacionarse con hombres cubanos de todos los estratos sociales.

Esta sería una buena ocasión para la búsqueda de puntos comunes, de un diálogo noble y constructivo entre escritores e investigadores de dos países que llevan casi medio siglo en una contienda que nada tiene que ver con la gente sencilla de un sitio y de otro.

Pero no, aquí se politiza hasta la mirada y además Norberto Fuentes está en el exilio. Llevarán a la cumbancha al periodista y amigo Fernando Campoamor, el historiador del ron.

Pero con Norberto estarían allí Pichilo, el gallero, y Juan Pastor, el chofer que era hijo de Ochún y cuando Ernesto se pasaba de tragos se ponía detrás del timón del Buick y decía resignado: —Ay, Orula, ¿hasta cuándo?

Faltará aquel teniente del Ejército Rebelde que bebía con el escritor en un bodegón de San Francisco de Paula y que una madrugada, poco antes del amanecer, le llevó a Hemingway un emplasto de aspirinas y mercurio cromo para salvarle la vida a Bad Bat, un murciélago que agonizaba en la sala de Finca Vigía y que ahora está disecado y muy serio en una pared, porque el dueño de la casa admiraba a la gente que lucha hasta el final.

Faltarán al cumpleaños los cubanazos que amaron a Ernesto sin leerlo, que celebraron el Nobel del autor de *Adiós a las armas*, creyendo que se había ganado un concurso de una marca de jabones suecos y faltarán porque el mejor amigo de Papa en Cuba, ya lleva 5 años sin ver finca Vigía y sin venir al cumpleaños de nadie. Además en los onomásticos suele reinar una alegría falsa sobre todo si no está el festejado, si las personas que asisten no lo conocieron y si los organiza alguien que se está dando una fiesta a sí mismo.

Cuando Norberto Fuentes llegue al cielo y Papa lo perdone que le explique por qué Kemosabai no fue a la fiesta y por qué Cuba está tan triste en este cumpleaños.

Paredón para un hombre **nuevo**

—Vosotros tenéis un paraíso, casi no hay crímenes, poca violencia y mucha tranquilidad —me hablaba, desde luego, un amigo español aferrado a un vaso de ron, granadina y hielo *frapé*, al borde la piscina del hotel Nacional de Cuba.

No es así exactamente —respondí—, lo que sucede es que este es un paraíso sin estadísticas y sin crónica roja.

En estos mismos días se estaba viviendo en todos los municipios de la capital un clima de terror y tensión porque la policía perseguía a un violador. Su foto, colocada en terminales de ómnibus, lugares de recreación y esquinas céntricas, mostraban a un negro con varias cicatrices en la cara. Se llamaba Norberto Mejías, 46 años, portador de arma blanca y conocido como El Mexicano o El Jimagua.

Se le acusaba de varias violaciones en barrios del sur, pero el rumor popular lo hacía aparecer violando una niña en Artemisa y a un hombre en La Habana

Alguien lo había visto detrás de una anciana en El Cano y a la misma hora le daba un navajazo a un tipo en El Cerro.

Lo que realmente sucedió es que las mujeres no querían salir solas y al fin la prensa local, el semanario *Tribuna de La Habana*, tuvo que informar sobre el violador con viso de leyenda, convertido por la imaginación criolla en un Jack el destripador en short y camiseta.

Entonces los comentarios tomaron otro camino. El del poco profesionalismo profesional, la torpeza de los patrulleros que piden carné día y noche a los ciudadanos en la calle y son incapaces de atrapar a un verdadero delincuente y asesino por añadidura.

—Se demoran en cogerlo —dijo una anciana de El Fanguito—, porque nada más está tocando a mujeres pobres, si hubiera matado a alguna de las que viven en Miramar o el Nuevo Vedado, hace rato estuviera preso.

El caso del violador se cerró en abril de 1995. La policía lo capturó en la barriada sureña de Párraga, Norberto Mejías fue ante el tribunal por cinco causas de violación, una de lesiones y otra por intento de violación.

Mejías, que tenía 10 años cuando triunfó la revolución de 1959, muestra que el delirio del hombre nuevo, necesita una base real de mejoramiento de las condiciones de vida.

Los barrios marginales de la periferia y del centro de la ciudad, el hacinamiento, la masividad como línea clave para moverlo todo, el abandono del individuo y la promiscuidad generalizada no tienen nada que ver con el sistema de consignas y propagan-

da para crear un ser humano mejor, que hasta ahora, sólo ha servido a la demagogia oficial.

Esta vez, la prensa tuvo que dar a conocer el expediente de Mejías y algunas de las circunstancias
que rodearon su vida en el paraíso.

«Internado en un centro de reeducación, desde
los doce años, condenado entre 1974 y 1995 en nueve ocasiones a un total de 43 años de privación de
libertad. Sin domicilio, repudiado por su familia», escribió *Tribuna de La Habana*.

Mientras, seguimos leyendo los diarios que
promueven el triunfalismo y han sacado adjetivos,
convoco a pensar en los nuevos Mejías que se
mueven hoy mismo en la ciudad, este paraíso sin
estadísticas.

Nunca fuiste **bueno**

El mayor lujo de Félix Perera es su vida. El hecho mismo de vivir. Nada más, como no sea el amor de su madre y de su esposa y el respeto, el afecto sincero, conque lo reciben sus amigos.

Tiene 53 años y es cristiano. Se considera, en política, un hombre de derecha, sin fundamentalismo, porque Dios es su guía.

Su padre, un pequeño comerciante de origen judío, cuyos abuelos vivieron también la experiencia de la Guerra Civil en España, lo enseñó a odiar el totalitarismo.

—Desde el mismo año 59 —recuerda ahora Félix Perera— el viejo me dijo: «esto no sirve para nada. Hay que aprender a callarse o aprender a coger el camino. Lo que le espera a Cuba es terrible. Prepárate, si no te vas a ir».

—Yo estaba trabajando en el Banco de Comercio Exterior en los primeros años del 60. Me llamó el Servicio Militar Obligatorio y ahí comenzó todo.

—Tuve que quitarme el crucifijo que siempre me acompañaba. Es un objeto visible que está prohibido para lo militares, me dijo el oficial, pero todos sabíamos que la línea del gobierno era el ateísmo. Cuando una mañana se descubrió en una barraca un letrero que decía: «Abajo Fidel», el Servicio de Inteligencia Militar (SIM) me citó a mí. Ese fue el primer interrogatorio de mi vida. Era febrero de 1965.

—Cuando salí del servicio militar, mi plaza había desaparecido y conseguí ubicarme en un almacén del sector de transporte.

—Allí estuve de auxiliar y ganando 118 pesos mensuales desde 1967 hasta 1981. Era un castigo porque yo me negaba a pagar el sindicato. No lo pagaba porque no me defendía, los sindicatos aquí, desde el triunfo de Fidel Castro, son cómplices de la administración. No pago, dije, no pago a una institución que actúa contra el obrero.

—Otra cosa, yo no hacía guardias en el trabajo, ni estaba en las milicias, ni asistía a los trabajos voluntarios. El jefe me decía, tú no cambias, nosotros tampoco, mientras no te integres a la vida revolucionaria como los demás vas a seguir castigado.

—Una vez un padre jesuita que era mi amigo, me dijo: «Félix, al César lo que es del César y al Señor lo que es del Señor. Estás viviendo muy mal. Págale al sindicato, haz una guardia, tú solo no te puedes enfrentar a esta maquinaria gigante. Estás haciendo sufrir a los tuyos».

—Comencé a entrar un poco por el aro y un amigo me ayudó para que pasara un curso de técnico automotriz. Lo hice y entonces conseguí un traslado para otra empresa, ahora ganando 163 pesos. Ahí estuve hasta que en 1994 me dejaron excedente por mis actividades políticas. En diciembre de 1993 había fundado el Movimiento Amor Cristiano.

—Ellos me estaban controlando desde mucho antes porque yo estuve trabajando como activista de varios grupos de derechos humanos desde finales del 88, después pasé a formar parte del Movimiento Criterio Alternativo, donde estaba María Elena Cruz Varela, Fernando Velázquez, Luque Escalona y otros amigos

—Desde el momento en que me sacaron del trabajo, en mi casa vivimos del retiro de mi esposa y de la jubilación de mi madre. Vivíamos de la caridad, del milagro de cada día y en mí se cumple como en nadie lo que dice Cristo en San Juan VI-25: «El que crea en mí no padecerá nunca ni hambre ni sed».

—Mi vida transcurre con muchas penurias económicas y materiales pero con muchas compensaciones de otro tipo. Por ejemplo para visitar a una Embajada en La Habana hace poco caminé casi diez kilómetros ida y vuelta. Llegué a mi casa agotado, pero feliz porque explicamos a los diplomáticos extranjeros el sentido de nuestra lucha, la situación de nuestros presos políticos y nuestros proyectos para el futuro de Cuba. Ellos estaban sorprendido porque la cortina de humo del Gobierno es inmensa, pero también es muy grande el empeño por sacar a Cuba de este conflicto, de este mar de penurias en que vive la mayoría silenciosa y olvidada, que se convoca sólo para la manipulación.

—Vivo con lo mínimo y lucho por lo máximo para todos. La represión la siento como algo permanente y ya es parte de mi vida. He perdido la cuenta de las veces que he sido arrestado o requerido o llamado o citado por la Seguridad del Estado.

—Tengo un sólo buen recuerdo de una de esas visitas a la cárcel. Estaba preso en Villa Marista y el oficial que me interrogaba me dijo de repente: «Perera, tú nunca fuiste bueno. "Oígame oficial, no sabe usted qué satisfacción me causa oírle decir esas palabras, es el mejor elogio que he escuchado sobre mi persona"», le dije.

—Esa es la satisfacción de corroborar que nunca acepté este régimen, ni cuando una mayoría en Cuba lo aclamaba. «Están equivocados», decía yo, «algún día se darán cuenta de la verdad y de quién es el "personaje histórico"».

—Mi experiencia en la prisión, en los sucios calabozos de la Seguridad del Estado es horrible. A veces sueño que estoy metido en uno de ellos, con sus ratas y cucarachas y sus pilas de excremento y los interrogatorios y la confusión del día y la noche.

—Me duele en particular recordar cuando me llevaron preso el 5 de agosto de 1994. Esa noche como a las once me detuvieron en mi casa. La gente en la ciudad se había lanzado a la calle a protestar y la policía y los paramilitares habían salido a reprimir y a golpear, algún día se sabrá la verdad de lo que pasó aquí. Pero bien, me llevaron para la Unidad de la policía que está en Zanja y Dragones y me metieron en un calabozo de 3 por 3 con otros cincuenta hombres. Por la madrugada comenzaron a sacar a los jóvenes, centenares de jóvenes estaban presos, miles estaban presos. Comenzaron a sacarlos de los calabozos y a realizar juicios sumarios en un local al fondo de la estación. Los condenaban a uno o dos años de prisión y al devolverlos, (había once calabozos) los golpeaban brutalmente antes de hacerlos entrar. Fue el espectáculo más triste que he visto en mi vida. Golpes y golpes a aquellos jóvenes, mucho de los cuales eran inocentes y ni siquiera habían estado por los disturbios, pero estaban indignados. Los guardias desconcertados, querían demostrar su fuerza con las palizas y con eso mostraban su debilidad. Otro signo interesante de esas jornadas fue que después de las golpizas, los obligaban a que gritaran a coro «viva Fidel». No sé cómo pude soportar, pero lo soporté y de seguro tendré que ver muchas cosas más.

—Yo sigo mi vida en el trabajo del Movimiento, en el activismo, mi familia y mi iglesia. Yo tengo fe y fuerza y apoyo. Esto tiene que cambiar y cambiará

—No me considero un dirigente imprescindible. Soy el líder de un grupo y soy responsable de mis actos y de conducir el Movimiento y el trabajo con otros grupos aliados por un camino seguro hacia el tránsito pacífico que necesitamos.

Oración de Año Nuevo

Ahora que se va este año y gran parte de mi vida se va con él, lo que más quisiera para el que viene es que se me excluya de los planes del Gobierno. Que mi familia y yo no figuremos en sus proyectos fantásticos de bienestar y felicidad, que mis hijas, María Karla y Cristina, no estén en sus nóminas fatales.

Imploro el olvido estatal. Que mis amigos y la gente que quiero sean liberados del agobio de ser el centro de atención de un aparato descomunal controlado por un grupo de hombres que nos utiliza como pretexto para cumplir sus viajes, sus sueños, sus ambiciones terrenales y, además, nos exige que los respetemos como guías, patricios, salvadores instalados para siempre en la historia de Cuba.

Para el año que viene tengo el deseo público de ser más libre, de ser absolutamente libre, y la quimera de un limbo social, donde los cubanos nos podamos producir en armonía y en paz, sin la presencia de ese tutor implacable que impone los hábitos alimentarios, regula las costumbres, dicta los horarios y las fechas de la alegría y el luto y propone hasta la socialización del cepillo de dientes.

Eso, quisiera salir de su abrazo contaminador y que su gesto no me alcance, que no me proteja el Estado y me permita vivir mi breve vidita en los bellos riesgos de la existencia, atribulado por los problemas que yo me busque y por los asuntos sencillos y graves que rodean siempre el paso de un hombre por la tierra.

Que no cuente conmigo ni para darme, ni para recibir. Que se me permita ejercer la libertad de discernir las fronteras de mi noción de la patria, que es un territorio íntimo y fosforescente donde está la memoria de José Martí, la tumba de mi padre, Mamá viva y triste, una casa lejana y desconocida donde vive Cristina y otra en La Habana en la que a esta hora duerme María Karla.

Orgullo y **miseria**

Aquí ya nadie se avergüenza de ser madre soltera. Se asume el asunto con una especie de orgullo, un sentimiento vago de suficiencia y fuerza. Lo que pasa es que criar y mantener un niño en la Cuba de los 90 es una prueba difícil y dura.

Voy a contar tres historias.

I

Yamila Acosta tiene 23 años. Yaneris, su hija, 6. La niña lleva sus mismos apellidos, aunque Yamila asegura que el padre es el boxeador olímpico cubano Arnaldo Mesa. Yaneris lo *conoció* en una pelea por televisión, en los juegos de Atlanta, Georgia.

Tratando de escapar de los trabajitos de 100 pesos mensuales, Yamila, que tiene octavo grado de escolaridad y se ve bien y es agradable, salió a jinetear. No tuvo suerte. En su segunda excursión a la zona de El Vedado, donde están los buenos hoteles de turismo, cayó en una redada policial. Junta a otras aprendices, todas negras como ella, fue a parar a un calabozo de la unidad de Malecón y L, al lado de la Oficina de Intereses de Estados Unidos.

Después de ruegos, llantos y gestiones familiares, la muchacha volvió para la casa de su abuela paterna donde se crió y vive porque sus padres se fueron de Cuba en 1980 cuando el éxodo de El Mariel. Ahora tiene miedo de volver a caer presa porque le levantaron un acta de advertencia policial. Yamila limpia los pisos de un asilo de ancianos, en La Víbora, por 130 pesos mensuales (unos seis dólares, al cambio actual). Ahí está.

II

—Lo más grave no es tener que asumir los gastos que genera la crianza de los hijos, sino lo difícil que resulta conseguir que un hombre te respete y quiera hacer el papel de padrastro. —Así piensa Raquel Fernández, 40 años, blanca, madre de un niño de 8.

Cuando quedó embarazada tenía una relación amorosa medio novelesca, con colorido propio y citas y tarjetas galantes y flores y vino, y encuentros secretos en playas y esquinas convenientes.

Ramón estaba casado. En contra de su voluntad aceptó la decisión de Raquel de no interrumpir el embarazo y en los primeros meses le hizo llegar algún dinero.

Después Ramón cayó preso y ya lleva cuatro años en la cárcel.

—Estoy sola, con mis 170 pesos y el niño y sin muchas posibilidades de que aparezca alguien a asumir todo esto.

III

Madre soltera, hija de madre soltera, Fanny Romero, mulata, 17 años, parece que está peor. Se fue del cuarto donde vivía con su madre y dos hermanos varones. Tenía entonces 14 años. Se enredó con un personaje de 54, que «podía ser mi abuelo».

Enseguida quedó preñada y un sábado por la noche el hombre «salió a darse unos tragos con unos amigos y hasta el sol de hoy».

La pequeña Dayanys va a cumplir 3 y le dice papá a los diversos acompañantes que su madre consigue en el vértigo de la vida diaria, de su edad y de su misma situación.

—La suerte es que me ligaron las trompas, sino ya hubiera sido madre otra vez. Quizás muchas veces —dice Fanny.

Naturaleza **muerta** con menú

Algún día sabremos el origen, la composición exacta de muchos de los alimentos que se consumieron en Cuba durante el Período especial. Estoy seguro, lo sabremos.

Una comisión de expertos, una docena de psiquiatras y politólogos se encargará del asunto. Iluminará esa zona oscura de la vida cotidiana de 11 millones de personas obligadas a comer sustancias preparadas por técnicos del Ministerio de Comercio Interior (MINCIN), asesorados por intransigentes cuadros del partido comunista.

Sabremos, por fin, qué es el *frincandel*, qué quiere decir picadillo texturizado, extensión *cárnica* y producto sazonador, entre otros aditamentos.

Esa misma comisión descifrará para las nuevas generaciones habitantes de la isla un texto como este que transcribo y que tomé de un diario habanero: «Para el día primero se pondrán a la venta en la red minorista los siguientes productos, correspondientes al mes en curso: arroz, seis libras por consumidor; chícharos, 20 onzas por consumidor; azúcar crudo, tres libras por consumidor; azúcar refino, tres libras por consumidor; y leche evaporada, 10 latas para niños con dieta médica, de las 30 que corresponden per capita, por no estar la disponibilidad completa. El resto se entregará en los primeros días del mes.

»Se informa que por falta de disponibilidad de plátanos, a las unidades que no han recibido la libra correspondiente al mes de marzo se les asignará papa por éste, con igual per capita: una libra por consumidor».

Esa dieta forzada, esa uniformidad, la persecución implacable para el sacrificio clandestino de reses y para lo que se llama aquí «pesca furtiva» convocó a las amas de casa a inventos, adaptaciones y compuestos que desafían el equilibrio mental de cualquier ser humano.

El primer antídoto contra el hambre del Período especial que el gobierno popularizó y diseminó por Cuba fue una hamburguesa elaborada con carne de cerdo y soya.

Por la forma del pan y de la masa, así como por el leve roce del *ketchup* que se le unta, algunos empezaron, en broma a llamarlas McDonald. Poco después se les denominó McCastro y así están languideciendo ahora, marginadas por la entrada en el mercado de otras hamburguesas de más calidad, que se venden en dólares en establecimientos que el Estado bautizó como «Rápidos». Lo cierto es que las hamburguesas «Zas» —el mismo burócrata obsedido por la velocidad puso los nombres—, que se siguen vendiendo a cuatro pesos cubanos —un dólar, es decir, 20 pesos, cuestan las de los Rápidos— resolvieron a muchos el almuerzo y la comida durante meses.

Así surgió el picadillo de cáscara de plátano. Una receta que indica que si usted muele esa corteza verde y pegajosa y la sazona con ajo, limón y cebollas, la puede servir a la mesa como un aceptable plato fuerte, como si fuera carne.

Otra fórmula que se hizo popular en los 90 es el bistec empanizado de hollejos de toronja. Es decir, al hollejo puesto a hervir para que pierda todo su amargor (no su amargura) se le empaniza y se le fríe con un mínimo de grasa y toda la imaginación posible. Algunos *chefs* muy refinados recomiendan que se sirva con unas rodajas de limón y unas papas doradas.

Estos platos los degusté en la casa de varios amigos y amigas que los servían con amor, ingenuidad y asombro, porque mezclados con arroz y frijoles, el menú natural de las casas de Cuba, y aderezados con una conversación agradable y despreocupada podrían recordar lejanamente el picadillo y el bistec legítimos, confinados todavía a los manteles de los dirigentes y las cartas frondosas de los extranjeros.

Surgieron entre el 92 y el 94, dos años especialmente duros dentro del Período especial, muchas historias siniestras que tienen que ver con la necesidad y la creatividad de los hombres y mujeres de estas tierras.

Se habla de unos tipos que vendían pizzas en Centro Habana y en vez de queso blanco le ponían a la masa —coloreada con un tinte rojo para que pareciera tomate— condones derretidos con mucha sal.

Se cuenta de otro restaurante clandestino donde vendían trozos de tela, ablandados a fuego lento, empanizados y con mucha cebolla. Estas y las historias de centenares de gatos desaparecidos, al tiempo que aparecían de repente sabrosos fricasés de conejo en muchos sitios de La Habana pasan ya a la categoría de leyendas populares.

En materia de rones hubo aportes antológicos en calidades y marcas. El gobierno exporta un ron de primera y en los bares del país se vendía —se vende— un ron que el mismo Estado le ha dado la categoría de C.

Entonces surgieron los expertos callejeros y pusieron en el mercado negro, a precios razonables (entre cinco y diez pesos cubanos) una tanda de marcas que en sus mismos nombres denunciaban la procedencia: Azuquín, Alcolifán, Huesoetigre, Saltapatrás, Bájatelblumer, Espérame en el suelo y otras con aportes regionales.

Otro producto que el gobierno lanzó fue un helado de frutas, hecho con equipos de tecnología argentina. Eran insípidos y había que mirar fijamente la foto de una naranja para persuadirse de que era un helado de naranja lo que se estaba paladeando. Eso sí, los helados, por lo menos, estaban fríos.

Los equipos que después el Estado desechó y almacenó se los vendieron un día, a mediados de 1996, a particulares. Nadie sabe por qué, en manos privadas, las mismas máquinas producían unos helados de primera y enseguida se hicieron populares en la población. Los pequeños propietarios de esas máquinas vendían sus helados a tres pesos cubanos. En enero del 97 una brigada de inspectores, acompañados por la policía, comenzó a recoger los equipos y a confiscarlos.

Este es un caso típico de lo que el economista cubano Orlando Bordón Gálvez explica, aludiendo a un viejo refrán español: «Es el Estado del hortelano, ni vende ni deja vender».

En un momento de crisis total, después del llamado «Maleconazo», del 5 de agosto de 1994, se permitió a la iniciativa privada un pequeño espacio y ella, en definitiva, contribuyó a suavizar la situación. Pero en 1997 la ofensiva contra los cuentapropistas es abierta y a fondo y los conocedores del patio le están poniendo fecha al cierre total de esa alternativa económica.

El Ministerio de Comercio Interior se propone establecer un restaurante de la familia por cada municipio —uno, dijeron, tamaño disparate— y vender comida elaborada y semi elaborada. Se trata de competir con los chinchales privados que ahora sobreviven también bajo el agobio de inspectores, policías y picadores.

La ministra de ese ramo, Bárbara Castillo, siempre en la prensa con un pulso y un arete de más, anunció hace poco ese plan mágico para resolver lo que según ella es «una de las cuestiones más presionantes para la población», los alimentos.

También, junto al plan definitivo número 543 de la temporada, anunció que la carne seguirá extendiéndose.

«Una parte importante de los productos cárnicos que adquirimos —dijo— se usan para extenderlos, lo cual es una premisa inviolable».

Extenderlos es —según la señora Castillo— incorporarles otros elementos, como vegetales, arroz, frijoles y condimentos, no se trata de mezclar por mezclar.(SIC)

Vamos entonces a esperar las nuevas combinaciones de los magos de comercio interior y las respuestas de un público que conoce los trucos y está desesperado porque se acabe la función o, por lo menos, que cambien los artistas.

Aura

Desde el portal de Romelia se ve el solar yermo, inmenso, enmarañado y misterioso.

Ella nació en Matanzas. Hace cuarenta años que vive en Santiago de las Vegas, un pueblecito del sur de La Habana que con el tiempo se ha ido metiendo en la gran ciudad.

—Cuando yo era niña, allá en mi pueblo, uno al ver auras tiñosas sobrevolando un terreno le daba algo extraño por dentro porque siempre era señal de que había un muerto cerca. Ahora estamos velando a las auras porque segurito, segurito que han matado algún animal y han tirado ahí en el solar los restos.

—Aquí no tenemos dólares para comprar carne en la *shopping*[1] ni para pagársela a sobre precio al carnicero.

—El sábado me acosté tarde, viendo las dos películas de la televisión y el domingo, con el cambio de hora, cuando me levanté ya eran las 10 de la mañana. Me lavé la cara y tomé café y salí corriendo para el portal.

—¡Que alegría! Vi dos o tres auras volando allá enfrente.

—Me puse un vestido encima del ropón y fui a ver qué quedaba. Cogí un cuchillo grande y lo metí en una jaba y cuando llegué me asusté un poco. Vi la cabeza de un caballo. Lo mataron con los ojos abiertos y parecía que me estaba mirando.

—¡Ay, Dios mío!, dije porque era domingo de Resurrección. Me persigné, recé un Padrenuestro y sin pensarlo dos veces me agaché y le saqué la carne de los cachetes.

Lo ha contado con naturalidad y se ríe, se ríe de ella misma y de los visitantes a quienes ha narrado la historia y tienen, como el caballo, los ojos abiertos.

—Por muy profesional que uno sea yo no sé si tendré valor para escribir eso —dice uno de los huéspedes de Romelia.

En el viaje de regreso a La Habana, pasado el mediodía, nadie tenía hambre y no se habló de almorzar.

---

[1]Tienda que sólo vende en dólares.

Vigencia de los **taínos**

El esplendor de la salsa cubana, la invasión planetaria del son, y de la rumba, con sus rumores de África, y el éxito internacional de numerosos escritores cubanos contemporáneos, dejan en el olvido y la mudez, en el trance de la cicatriz, el aporte de los indios a nuestra cultura.

Lo importante hoy es ser experto en cultura negra, conocedor de los orichas y su magia.

El componente africano en nuestra nacionalidad está, ahora mismo, sobredimensionado, no por los verdaderos estudiosos y por los sabios que siempre estuvieron alerta acerca de la importancia del tributo de aquel continente a la nacionalidad cubana, sino por una mafia de pseudo-intelectuales que se han aferrado a ese segmento de la cultura para vadear el Período especial.

Aquí se habla ya de un grupo a quienes se les denomina y se les considera, «negros honoris causa», obscedidos y rabiosos africanistas que olvidaron que el viaje que se inició en Ampanga, terminó en Barbacoa y fue planeado por un tal Gumersindo García Rodríguez.

Pero quiero retomar el asunto de los indios porque las decenas de vocablos que hemos heredado de los taínos se mezclaron en el lenguaje cotidiano y pocas veces nos detenemos a meditar sobre su incidencia.

Uno de los vocablos araucos de más presencia en el habla popular, sobre todo en Ciudad de La Habana, es «barbacoa».

La noción primigenia ha cambiado. Según mi amigo, el estudioso antillano, Lois Pretti, barbacoa quiere decir choza lacustre suspendida sobre postes. En la capital cubana, la barbacoa es el aposento de miles y miles de personas que ya quisieran estar sobre un lago, sobre todo en el intenso y prolongado verano caribeño.

«Bajareque», otra palabra india, sirve, hoy por hoy, para describir por extensión el sitio donde viven otros miles de habitantes de esta isla, aunque en su definición original se explique se trata de «choza sin paredes a modo de tienda».

Oh corrupción, corrupción luminosa, desde luego: *babiney* que para los taínos era un lagunato cenagoso, siempre ha sido en Cuba símbolo de mescolanza sin armonía, de fanguero, o ajiaco social... y ese concepto se ajusta mucho a la actual atmósfera política y económica de la sociedad cubana.

Lo del *cacique* se hace más fácil de explicar porque el profesor Pretti mismo aclara en su *Microscópico antillano*, que el sonido kak se asocia siempre con hacha y, de paso, con quien tiene las armas, la fuerza, el poder.

Los cubanos que vivimos en Cuba y los que han tenido que salir a otros países podemos formar oraciones completas con términos araucos.

Un poeta amigo mío, siempre auxiliado por el español, explicó así la salida de un familiar suyo de Cuba: «El cacique le quitó el burén[1] y no pudo hacer más casabe[2]; se puso medio cimarrón[3], y lo amenazaron con una macana[4]. Entonces cerró el bohío[5], recogió la hamaca[6], jaba[7], y el jabuco[8], e hizo un macuto[9] que incluyó las cutaras[10], salió del batey[11] por los Canarreos[12], se montó en el cayuco[13], y se fue».

La riqueza del elemento arauco no es muy amplia. Pero sí me parece imprescindible y es lo que he querido adelantar en esta nota pijirigua[14], quizás escrita en tono sanaco[15], pero con la intención del jíbaro[16].

No estoy proponiendo, por supuesto, la creación en La Habana o en Miami del Centro de Estudios de la Cultura Taína, ni mi propuesta es formar un grupo folklórico para comercializar, mediante una empresa mixta canadiense o española, los areítos. Se trata de llamar la atención sobre una comunidad que estuvo de alguna manera en nuestros orígenes, y por lo menos, en el idioma, nos siguen acompañando sus fantasmas.

---

[1] Plancha para cocer casabe.
[2] Pan de yuca

[3]Montaraz
[4]Garrote, palo, estaca, porra
[5]Choza construida con las hojas y el tronco de la palma real.
[6]Tejido o lona colgado por las extremidades. Sirve para dormir.
[7]Especie de bolsa de papel o de tela.
[8]La misma bolsa pero más grande.
[9]Paquete o bulto.
[10]Sandalias o chancletas hechas de madera y goma.
[11]Caserío colindante al central azucarero (fábrica de azúcar).
[12]Archipiélago al sur de La Habana y Matanzas.
[13]Canoa pequeña
[14]Humilde, modesta, sin pretensiones.
[15]Simple, primitivo, soso.
[16]Indómito.

Los **guapos** de Yateras

El fin del milenio acaba de sorprender a los grupos de poder en Cuba de romería en un *koljoz* de Jatibonico, revisando a la luz de la hoguera los tomos de *El capital* y con una pistola, a veces metafórica, a veces menos lírica, que apunta a la disidencia interna y al periodismo libre.

La retórica, esa hija bastarda del estilo es, por el momento, una de las máscaras de cartón para las armas pero sabemos que puede llegar el instante tan anunciado y manipulado de la pólvora.

Los mítines de repudio, las amenazas y arrestos de la policía política se mueven en una armonía espléndida con una serie de artículos de prensa que ciertos personajillos del *stablishment* criollo firman con desenfado.

¿Se trata de periodistas realmente indignados porque grupos de colegas suyos no defienden las ideas que ellos sustentan? Ni siquiera eso.

Hablo de gente hecha a semejanza del engranaje angustioso de aquellos instrumentos musicales que tanto gustan a los habitantes de la región oriental de la isla: los órganos.

Supuestos periodistas que aceptan una caprichosa cinta de papel perforado, esperan que alguien mueva la manivela y empiezan a insultar, a difamar, a mentir y a humillar sin control, con total impunidad, perfectamente protegidos por el poderoso Estado socialista que borró con un gesto el derecho de réplica.

Difama, que algo queda, es la máxima preferida de ese equipo de ideólogos de las cabillas y las metralletas porque las víctimas del infundio no pueden responder y el que calla otorga.

Así, aparecen los periodistas independientes como asalariados de la Oficina de Intereses de Estados Unidos, gente «sembrada en Cuba por Washington, un producto *made in USA*» y cuanta estupidez pueda cargar la química del odio, arrogancia y frustración que compone esas piezas groseras.

Y es que la soberbia oficial no concibe que cada día un cubano se suma a los grandes sectores que, sin ser devotos del presidente Clinton ni ciudadanos del estado de la Florida, precisamente por vivir aquí aborrecen el calvario de la persecución, la verbena de penurias y los festivales de discursos hechos con papel carbón.

El hosco y gastado sermón que convierte con un poco de tinta de imprenta a cualquier cubano que quiera decir su verdad en un agente del gobierno norteamericano, después de 40 años. Es sólo eso, un sermón hosco y gastado.

En su ceguera, en su afán por permanecer en el poder, los señores dan la voz de fuego sobre los aguafiestas.

En un caso realmente curioso, uno de los periodistas utilizados para atacar a los grupos independientes, en el primer párrafo de su catilinaria, y por un decreto personal del aguerrido combatiente antimperialista: ¡Nos quitó a todos la nacionalidad cubana!

Eso se publicó en el semanario *Juventud Rebelde*. No me extrañaría el día que vea una ley de la Asamblea Nacional del Poder Popular legitimando la decisión del distinguido humanista antillano.

Atacar a simples ciudadanos, acorralados en sus casas, y atacarlos con el respaldo de la policía y el aparato gubernamental no parece muy viril ni muy gallardo, ni está escrito en las leyes invisibles que han regido siempre la vida de los cubanos.

Esa modalidad de los guapos de Yateras, es decir, policía, medios de prensa, televisión y la infinita autopista de la Internet es otro aporte del socialismo cubano al folklore político de nuestro continente.

Quiero recordar a los pitchers de esas piedras que si bien pueden derribarnos con el impacto directo, quienes ordenan su lanzamiento le dan también mucha importancia al primer *bounce*, a la onda expansiva. Aclaro que me he referido sólo a algunos personajillos que están usando el ventrílocuo, porque meter en la misma jaba de nailon a todos los profesionales que trabajan en los medios oficiales sería una torpeza y una injusticia.

raúl **rivero**

Hace poco, en un fugaz encuentro que tuve en una calle de La Habana con un conocido periodista de la televisión, éste me dibujó la posición de muchos colegas con esta imagen también robada a la crónica deportiva: «Sí, ya sé que se acabó el juego de pelota, pero ahora: ¿Cómo vamos a salir del estadio?»

El **opio** de los pueblos

Los cubanos que ahora tienen entre 40 y 60 años viven en el mismo contacto diario de penuria, confusión y desesperanza que enfrenta todo el pueblo. Pero hay un elemento para ellos, para la gran mayoría de ese grupo, que le hace más difícil la existencia. Es el complejo de culpa por renunciar a Dios.

Educados en la religión, bautistas, católicos, protestantes, espiritistas y santeros, mucho de quienes era adolescentes o niños en los años 60 se entregaron al carnaval de aventura y ateísmo que propuso el proyecto de Fidel Castro.

Hembras y varones se fueron a la campaña de alfabetización o recoger café a las montañas y dejaron para los viejos y atrasados los cultos religiosos. Se cambiaron las medallas y las imágenes de vírgenes y santos por sellitos con el rostro de Lenin, Marx, Dimitrov y Mao Tse Tung y los sagrados banderones, los himnos serenos de las escuelas se sustituyeron en pocos meses por banderolas rojas y congas y marchas militares para cantar y gritar en los miles de actos, reuniones y asambleas que la mujer de Paco Fanco no cocina con carbón y que nos íbamos definitivamente con el quinto, quinto, quinto, con el quinto Regimiento.

La religión dejó de ser el sostén espiritual de las personas para convertirse «en el opio de los pueblos». Los más audaces jóvenes de los sesenta respondían las llamadas del Comité de la organización con esta consigna que en los noventa parece un sacrilegio: «Unión de Jóvenes Comunistas, coopere con la Revolución, mate un cura».

Isabel Carriera Sosa no mató ningún cura, ni agredió al pastor de su iglesia. Simplemente se alejó, se fue, se liberó del cinturón moral que encauzaba su vida. A los 43 años, divorciada, empleada en un laboratorio de Salud Pública, con un salario de 198 pesos y una hija de 18 años, en diciembre de 1995, Isabel volvió a la Iglesia.

Regresó el 25 de diciembre a celebrar, como en los años de su infancia, el nacimiento de Jesús. No estaba ya en su pueblito de Las Villas, sino en esta Habana caótica y descreída.

Entró en el culto de la Iglesia Bautista de las Avenidas 100 y 51 en Marianao, justo al lado del centro Martin Luther King.

Esa velada le resultó inolvidable.

—Lloré, me vi a mi misma niña y a mis amigos, la mayoría ahora fuera de Cuba, me vi, me comparé con quien soy ahora y creo que tuve una crisis mística o algo de eso. Decidí volver para siempre a la Iglesia.

En enero de 1966 comenzó a asistir cada domingo a los cultos. En el tercer domingo, cuando los creyente regresaban de las clases para el oficio final, un pastor, alto, delgado, calvo, de unos 40 años reclamó la atención de todos y dijo: «Compañeros, los que vayan al trabajo voluntario a Pogolotti, deben estar a las dos aquí en la puerta y los compañeros que van a la excursión a Expocuba deben ver al compañero Roli para precisarlo todo y entregar los 30 pesos».

Isabel se levantó y salió caminando hacia la puerta.

—¿Se va —le preguntó uno de sus nuevos amigos—, se va compañera?

—No, no, vuelvo enseguida —espondió Isabel.

—Y desde luego no he vuelto más. A lo mejor es muy tarde para mi y estoy tan desorientada que no entiendo nada, pero no voy a encontrarme en la iglesia con la misma cantaleta que arruinó mi vida. Creo que he vuelto a Dios, pero jamás volveré a la Iglesia, por lo menos a esa iglesia.

Bienvenido, Mr. Yandy

En La Habana nacen mil 200 niños todos los días. El 2 de octubre de 1996, bajo el signo de Libra, Yandy Herrera Flores fue uno de esos bebés. La madre se llama Niurka y tiene 14 años. Gabriel, el padre, tiene cinco más y es mecánico automotriz.

Yandy es el tercer representante de la tercera generación de sus familiares que nace en el imperio de la libreta de racionamiento, impuesta en Cuba en marzo de 1962.

El abuelo tiene 35 años y la abuela 32.

En el registro de consumidores del barrio de Luyanó el niño figura ya con una equis en el epígrafe edad y aparece en la columna de 0 a 13.

Exactamente el 2 de noviembre, al mes de nacido, comenzó a recibir lo que el Estado asigna a sus ciudadanos que se integran a la sociedad.

Hasta el día en que celebre su tercer aniversario, Yandy podrá adquirir catorce laticas mensuales de compota. El sabor se decide de manera natural, en el albedrío de las cosechas, en el caprichoso designio de las lluvias y en la eficiencia de los planes agrícolas del Gobierno Revolucionario.

La compota será la que el Estado esté en capacidad de distribuir.

Hasta los 7 años tiene asignado un litro de leche por día. Cada mes tendrá, igual que los adultos, siete huevos, seis merluzas pequeñas y cada mes y medio tres cuartos de libra de picadillo de soya o algún sustituto de la carne.

Un mes sí y otro no, en el caso de que no haya catástrofes, alcance la gasolina, no se produzcan desvíos —ese eufemismo criollo que designa el robo— el niño recibirá su cuarto de pollo o media libra de carne de res de segunda.

Desde que llegó a Cuba, Yandy tiene aseguradas para toda su vida seis libras de arroz por mes y seis de azúcar. ¡Faltaba más, en la azucarera del mundo!

Hasta el día en que muera tiene garantizada, también, dos libras de chícharos o frijoles. Aquí tampoco interviene para nada el paladar, eso depende de Comercio Interior y de la cadena puerto-transporte-economía interna.

Pero hay más. Tiene para siempre media libra de sal, cuatro onzas de café y un panecillo diario.

La familia de Yandy está feliz porque él vino. Y grita fuerte y no quedó en el 8,2% de niños que están bajos de pesos al nacer en La Habana.

Todos están contentos de que Yandy esté entre nosotros. Es una pena que él mismo, por ahora, no pueda decir nada.

Ahora **somos** muchos

En la década de los 70 los *gays* cubanos iban a la cárcel por una figura jurídica estrafalaria y humillante: afear el ornato público.

Es decir, la presencia misma de un homosexual en un lugar era ofensiva para la moralina machista y dogmática de un gobierno de hombres valientes, probados en la guerra.

La otra causa que se usaba normalmente para encarcelar a los gays era el delito de alteración del orden. Cinco o seis *locas* —como le llama el cubano a los homosexuales masculinos— contándose sus aventuras en un parque o simplemente hablando de modas o del clima era «una alteración del orden».

Orlando Díaz era un adolescente en ese tiempo. Hoy tiene 42 años y recuerda sus experiencias carcelarias: —Nos reuníamos en el Parque Central y enseguida venía un policía a merodear y a asustarnos. En aquella época fui preso dos veces.

—En las estaciones de policía nos daban un trato violento y se burlaban de nosotros, trataban de humillarnos. Siempre el único motivo de mi detención fue mi condición de gay. Se burlaban, nos maltrataban pero cuando se quedaban solos tenían otra actitud.

—Recuerdo que el Combinado del Este varios guardias se enamoraron de mí y me acosaban sexualmente. Paradójicamente mis romances más efectivos han sido con policías.

Orlando, peluquero de profesión, visitó por última vez la cárcel en 1984 bajo la acusación de «andar con extranjeros».

Cree que ha mermado el hostigamiento «por la afluencia de turistas y la presión internacional».

—Ahora somos muchos y hemos logrado un clima más propicio. Yo pienso que en Ciudad de La Habana el número de homosexuales está por encima de los 10 mil y otro tanto que viven encubiertos.

—Ser gay en Cuba es muy frustrante. Primero tienes la oposición de la familia y luego la de la sociedad.

Orlando considera que entre los turistas que llegan a Cuba muchos vienen atraídos por el mito de la sexualidad de los habitantes de este país.

—Vienen a ver no los llamados logros de la revolución sino a buscar el gay activo pues aquí, a diferencia de Europa, existe esa especie rara, en extinción: el gay macho.

El peluquero está esperando que el espacio de los homosexuales se siga abriendo.

—Ya se han autorizados desfiles de travestís. Hace poco fui a uno en el cine teatro Atlas, aquello estaba lleno, de bote en bote, muchos extranjeros, y ese día me sentí realizado.

—Este es un régimen machista pero ha tenido que abrirse. De momento celebramos nuestras fiestas en clubes nocturnos que ya existen en muchas zonas y municipios de La Habana. En un clima apropiado compartimos con lesbianas y todo tipo de personas.

—La mayor aspiración de muchos de nosotros es que llegue un gobierno cubano que permita que ocupemos cargos importantes en la vida, pues somos tan seres humanos como los heterosexuales.

Moisés, **confesiones** tardías

Hace casi 40 años Moisés fue a su primera y única guerra. Estuvo de guardia en unos barracones cerca del central Australia, cuando la invasión de Playa Girón, en abril de 1961.

Su fusil, un M-52 fabricado en Checoslovaquia, volvió virgen. Las estrías del cañón cubiertas por la grasa y el salitre y la bayoneta mohosa y reseca.

Moisés era testigo de Jehová y sólo había leído un libro en su vida, la *Biblia*. Sus amigos y mucha gente del pequeño poblado donde vivía, cerca de Matanzas, se extrañaron de que el hombre se inscribiera en las milicias.

A este Moisés nadie lo sacó de las aguas de un río y su único hijo no se llamaba Guerson. Vive con su esposa Miriam. Ella es testigo de estas confesiones de Moisés, junto al pozo de su casa.

—En el 61 yo cuidaba ovejas y me sentía forastero en tierra extraña. Un día vi a Dios en medio de la zarza y mi bastón se convirtió en serpiente. No tenía facilidad de palabra y era muy tímido e introvertido, por eso nunca fui un testigo de Jehová eficiente. Esa conversión al socialismo fue tan traumatizante como aquel espectáculo de muerte, del cual todavía no me he repuesto. ¿Quién hace que uno vea y que el otro sea ciego y sordo?

—Cuando regresé de Girón deliraba. Decía que ya habían muerto los que querían mi muerte. Me pusieron un tratamiento psiquiátrico que me empeoró. Todo el tiempo hablaba de plagas: de cuando las aguas del Nilo se convirtieron en sangre.

Miriam ha traído unas tacitas de café y una pausa para el monólogo de su marido. Moisés está atrapado en una tela de araña de pasajes bíblicos y de su pobre vidita de jubilado.

La batalla de Playa Girón lo persigue y los morterazos y el ruido de los aviones lo asustan todavía en las noches muertas de un reparto de las afueras de La Habana.

—¿Cómo es ahora tu vida, Moisés?

—¿Mi vida, ahora? Ojalá me hubiera muerto en el 61. Extraño demasiado los tiempos en que me sentaba junto a la olla y comía pan en abundancia. No se imagina cómo me siento en este desierto, con estos camellos y este gentío muerto de hambre.

—En el desierto el pueblo decía: «¡Cómo echamos de menos el pescado que comíamos en Egipto y los pepinos y los melones, porros, cebollas y ajíes!» Aquí, en cambio, ya no tenemos ganas de vivir.

La **jaba** de nailon, remedio infalible

Esto es un diálogo transcrito literalmente. Se produjo en una parada de ómnibus de la calle Infanta, casi donde la arteria se encuentra con la avenida de Carlos III. Son las 8 y 35 de la mañana y es octubre de 1996. Hablan una mujer, mulata, más de 50 años, y un hombre blanco, de unos 40.

—¿Se siente mal, compañero?

—Sí, estaba rabiando de un dolor de muelas y me tomé dos diazepanes. El problema es que vine al estomatólogo de guardia pero no tenía nada para aliviarme. Y lo peor de todo es que mañana tengo que trabajar. Y yo soy cocinero, imagínese.

—No vaya... Es terrible tener que coger ese calor con dolor de muelas.

—Mire, compañera, yo trabajo en una corporación y no puedo faltar. Porque si falto me quitan la jaba.

—¿La jaba? ¿Cuál jaba?

—La que dan todos los meses a los que trabajan para el mercado de divisas.

—Ah, sí, ya sé. ¿Y qué traen esas bolsas de nailon?

—Pues nada menos que dos litros de aceite, una caja de detergentes, cinco jabones de baño, un paquete con seis maquinitas plásticas de afeitar, un desodorante, un tubo de pasta, un cepillo de dientes y un champú.

—¿Y eso es gratis o lo tienen que pagar?

—No, lo tenemos que pagar pero con dinero cubano. A veces más, a veces menos, sale como en unos diez pesos. También nos dan, cada cierto tiempo, mudas de trabajo y de vestir, a precios módicos.

—¿Cuánto gana usted, si no es indiscreción?

—185 pesos, más 25 por turnos rotativos y 10 dólares mensuales que, al cambio actual son 220. Si lo sumo es un total de 430.

—Casi lo que gana un cirujano. Así es que a no ser por la muela no tiene de qué quejarse.

—Sí, la verdad es que estoy mejor que otros.

—Por lo que usted me dice parece que las firmas extranjeras han logrado erradicar el ausentismo y las llegadas tardes...

—Y dígalo. En mi empresa no falta nadie. La gente va con un brazo partido, con fiebre, como sea, con tal de tener la jaba.

Mensaje **cifrado**

—¿Qué puede significar ver un ángel vestido de blanco que te toma la mano y te la besa? No sé, la verdad, no sé. Después de eso tuve una revelación. Vi a mi hijo en la puerta pero no entró. Eso me asusta porque siempre lo he visto dentro de la casa.

Caridad Zayas está desayunando un pedazo de *cake* que le regaló una vecina. Nació en Guantánamo el 26 de diciembre de 1906. Está lúcida y fuerte y un poco sola en su casita de El Cerro.

Toma té tibio y azucarado en un jarro. Hoy está más preocupada que nunca por su hijo. Hace dos años que no tiene noticias de él. El hombre se fue por el puente de El Mariel.

Recibió en 1993 una foto. Estaba en California, se le veía bien y limpio. Detrás, unos árboles y un cielo despejado y parejo. Estaba vestido de traje, una buena tela azul prusia y corbata de color entero. Al dorso estas palabras: «Soy feliz porque hago el bien a la humanidad».

—Me preocupa —dice— ese ángel vestido de blanco que viene y me besa la mano y mi hijo en la puerta, muy serio sin entrar en la casa.

Juan Carlos no es inocente

Si un poeta se convierte de pronto en un hombre peligroso para las autoridades del país donde nació no hay que mandarlo a la cárcel. Un gobierno sensato cambiaría su Código Penal.

Juan Carlos Recio, un guajiro alto y distraído, hijo de guajiros y nieto de isleños inmigrantes está preso en el centro de Cuba, guataquea y siembra yuca, y camina por las guardarrayas vigilado.

Pertenece a ese grupo universal de mujeres y hombres que los críticos y especialistas llaman poetas y que en definitiva no son más que seres humanos comunes y corrientes, que viven con la ilusión de embellecer el mundo.

Creen que con unas cuantas palabras pueden mejorar y hacer más habitable el sitio donde aparecieron en la tierra y para diseñar esos sueños no usan armas ni acuden a la violencia. Son sólo aventureros de la lingüística, con una porción de coraje verbal.

Pero allí está Juan Carlos Recio, en sus 30 años, condenado a 12 meses de trabajo correccional en la causa 3 de 1998 por propaganda enemiga y otros delitos contra la Seguridad del Estado.

Por allá, por su Camajuaní queridísimo, tratando de cantarlo y de quedarse en él, sin tener que salir a buscar Remedios. En los mismos campos en que fue niño y libre, en los mismos caminos donde paseó sus bueyes de cristal y persiguió palomas de rabiches, anda ahora perseguido como las palomas y enyugado como las botellas de Ironbeer que él llamaba Perla fina y Mariposa.

Juan Carlos Recio no es un inocente. Es un hombre extraviado que escribe versos todos los días y hace crónicas periodísticas sobre episodios de su comarca, sobre la vida de la gente que habita lo que nosotros llamamos patria chica y los mexicanos, con gran sabiduría, llaman matria.

Escribe. Él escribe y cuenta hoy lo que pasa en la cooperativa donde cumple su condena y esos apuntes que mañana serán libros van a ser el testimonio legítimo de que el poeta Juan Carlos Recio no es un hombre peligroso para su país.

Esas memorias del prisionero harán más claro el mensaje de que el verdadero asunto grave de Cuba no estaba en el objetivo sino en la orden de lanzar, en el gesto de tensar el arco, en la trayectoria y en la flecha.

Juan Carlos Recio es católico y en Dios encuentra fe y fuerza. Sus amigos pedimos salud y luminosidad para el poeta preso.

Bueyes y **cuadernos**

La mínima y cómoda Cuba oficial celebra este aniversario del nacimiento de José Martí con una colecta para publicar unos cuadernos con su obra. El Presidio político cubano tiene, sin embargo, una ofrenda entrañable y dolorosa para el cumpleaños.

Estoy convencido de que el prisionero político número 113, el poeta de *Yugo y estrellas* y el pensador de los *Pinos nuevos* desdeñaría cualquier edición, cualquier homenaje literario si toda esa gloria tuviera que pasar sobre los sufrimientos de un solo cubano.

Mientras astutos comerciantes extranjeros donan pequeñas sumas de dólares para los cuadernos y escritores y periodistas, de paso por el país, aplauden hasta el delirio, de las prisiones de Cuba salen, en papeles fatales y caligrafía pobre, informes dramáticos sobre la vida de centenares de compatriotas de José Martí.

De la prisión de Ariza, en la provincia sureña de Cienfuegos, llegó a los activistas de la Asociación Cívica Democrática (ACD) un informe del que voy a transcribir un pequeño párrafo.

«Los presos más jóvenes y fuertes, bajo la promesa de las autoridades penitenciarias de su posible libertad condicional, se utilizan como bestias arrastrando los arados en labores agrícolas».

No es un estilo depurado. Me pregunto si la narración lo necesita. José Martí tenía una respuesta para esas objeciones estilísticas. De los rudos decimistas que combatieron el colonialismo español escribió una vez: «Riman mal pero mueren bien».

El informe de la ACD es también un cuaderno. Unas 15 cuartillas donde se describe, por ejemplo, cómo trabajan los reclusos donde se les permite.

Laboran sin protección, descalzos en muchas ocasiones, sin condiciones para el aseo, por períodos de entre 10 y 12 horas diarias.

En algunas prisiones se pretende que los cautivos participen en programas de reeducación y tienen entonces que gritar consignas gubernamentales, lemas y marchar obedientes al ritmo de las cadencias de sus carceleros.

Negarse a participar en esas faenas humillantes significa siempre temporadas en celdas de castigo, pérdidas de los derechos del reo y otros maltratos.

En el primer semestre del año pasado se habían confirmado 48 golpizas a reclusos políticos. Jesús Chamber Ramírez y Jorge Luis García Pérez (Antúnez), en la prisión camagüeyana de Kilo 8, son víctimas sistemáticas de esas prácticas.

La situación sanitaria de las prisiones es caóticas. En los últimos tiempos los prisioneros viven atemorizados porque, entre otras cosas, deben afeitarse hasta 30 hombres con una misma máquina. Los recipientes en que sirven las comidas suelen ser los mismos que se utilizan para la limpieza de los baños sanitarios, conocidos en la jerga carcelaria como *turkos*.

La asistencia médica es muy deficiente porque faltan medicamentos elementales y hay epidemias de tuberculosis, neuropatías, leptopirosis, diarreas, escabiosis y pediculosis.

La prisión habanera de Valle Grande exhibe entre su población penal un destacamento de 120 reclusos desnutridos. En Ariza, en el Kilo 7 de Camagüey y el Típico, de Las Tunas, se denuncia permanentemente la distribución de alimentos podridos o en mal estado, muy por debajo de la forma establecida y carentes de proteínas.

Los condenados de Ariza y sus familiares narran con rabia y resentimiento cómo los animales que viven en un zoológico cercano a la prisión tienen el privilegio de consumir frutas y vegetales frescos. Alimentos que nunca llegan a la magra bandeja del preso.

Este es el sombrío panorama de la vida de los cubanos que guardan prisión en el mismo sitio donde nació, hace 147 años, José Martí. Habrá, seguramente, mejores cumpleaños para el Apóstol.

Buenas costumbres

El periodista Orlando Bordón Gálvez no cenó el 24 de diciembre de 1995. El y su esposa Sandra, ambos en los treinta años, después de un período complejo, confuso y doloroso estaban regresando, poco a poco, a Dios. Tenían preparada una cena tradicional en familia para esperar el nacimiento de Jesús.

El 23 por la tarde dos oficiales de la Seguridad del Estado fueron a arrestar a Bordón a la residencia de la familia de Sandra, en el pueblo de San Antonio de las Vegas.

Pasó esa noche en un calabozo, el día 24 bajo interrogatorios, y el 25 lo pusieron en libertad.

En el registro que hizo la policía en el domicilio ocuparon una máquina de escribir Royal, rota y entumecida, propiedad de un tío de Sandra que murió en 1956.

Se llevaron, además, varios recortes de periódicos —de periódicos cubanos y extranjeros— y resúmenes de artículos sobre la economía del país, que es la especialidad de Bordón.

El día que lo liberaron, después de amenazarlo con 10 años de cárcel si no dejaba de hacer periodismo independiente, el Coronel jefe de la Seguridad del Estado en la región lo despidió en la puerta de la estación de policía.

—Bordón —le dijo—, tú eres un hombre inteligente. Deja todo eso y pórtate bien que te conviene. De todos modos, esta conversación no ha terminado. En estos días voy por tu casa para seguir hablando. Tú viniste aquí, ahora yo voy a tu casa.

—Estoy de acuerdo Coronel —respondió Bordón—, pero espere que yo le avise para ir. Quiero recibirlo como me recibió usted aquí. Mañana mismo voy a empezar a construir un calabozo en el patio. Enseguida que consiga las rejas y el candado le aviso. No se preocupe, que yo le aviso.

Cinco negros al **tiro**

En la tarde del miércoles 15 de mayo de 1996 cientos de habaneros estaban congregados en el tramo que va de la avenida 10 de Octubre hasta las calles Carmen y Patrocinio, en el barrio de La Víbora.

Justo frente al paradero de ómnibus de esa zona estaban de pie y esposados, entre sí, cinco hombres. Ninguno pasaba de los 30 años. Todos eran negros.

Una docena de policía los custodiaba. Un agente alto, también muy joven y mestizo, tenía un megáfono y llamaba al público a identificar a algunos de los presos.

Según el policía los cinco negros eran carteristas y sólo necesitaban un testigo. Una persona que hubiera sido víctima de un robo de ese tipo para meter al culpable en la prisión.

Desde los carros que pasaban la gente miraba asombrada el espectáculo, para tratar de entender y desentrañar el suceso.

El policía del megáfono buscaba apoyo en la multitud que crecía por minutos. Pero los pocos que gritaban pedían que dejaran ir a los muchachos. La mayoría estaba en silencio. Un silencio extraño.

—Esto es una acción ejemplarizante —dijo el policía del megáfono—. En la India le cortan los dedos y no sé dónde le arrancan las orejas.

—Pero nosotros no somos indios —gritó un tipo blanco como de 60 años.

—Ya no aguanto —dijo en voz baja—. ¡¿Qué coño está pasando en Cuba, caballeros?!

Un **año** de su vida

A las 9 de la mañana del 15 de marzo de 1996 el doctor Jesús Morante Pozo, mestizo, 38 años, estaba llegando al hospital provincial de la ciudad de Pinar del Río.

Tenía una reunión y después consulta. A unos pasos de la puerta principal el agente de policía Ribeiro se le acercó y le dijo: —Está detenido por sospecha de robo como carterista.

Morante no se sorprendió. No vive en Holanda ni en Dinamarca ni en Madrid. Vive en Cuba y sabe que esos juegos burdos y sin imaginación son parte del trabajo policial contra la disidencia interna.

—Está bien —le dijo al policía—, vamos para dónde tú quieras.

En la unidad policial de Harrimann otros policías sometieron al médico a un registro mientras se esperaba que la víctima del robo se presentara para identificar al delincuente.

Una hora después se asomó levemente una señora: —No, ese no es. El ladrón era un poco más alto. —El doctor estaba libre. Pero no. En el registro le habían encontrado algunos documentos del Cole-

gio Médico Independiente de Cuba, donde Morante
ocupa el cargo de vicepresidente.

—Doctor —dijo el jefe de la policía— ya sabemos que usted no carteró a la compañerita pero le
vamos a pasar su caso a la Seguridad del Estado.

La detención por carterismo se transformó, en
pocos días, en un expediente por robo continuado
de medicamentos que llevó al médico a la prisión
por un año.

Esta tarde en el pueblo de Piloto, ocho millas al
este de la capital de Pinar del Río, el médico celebra con unos amigos la salida de la cárcel.

—Aquí siempre hay que aprender. Este país es
una gran escuela. Eso sí, tenemos que desterrar el
odio y la amargura.

Gallos en La Habana

Para el guajiro la pelea de gallos no es un vicio ni un entretenimiento ni un espectáculo, ni una forma de ganar dinero. Es, simplemente, una pasión.

Cuatro décadas de persecución, prohibiciones y cáceles no han podido borrar del paisaje rural cubano (y ahora tampoco de la ciudad) la lidia de gallos, esa bronca sangrienta con la muerte volando a ras del suelo y llena de colores, mientras los hombres gritan y se juegan miles de pesos, y cincuenta centavos a la vida, a la fuerza, a la violencia de un ave.

La valla de gallos es como el ring del boxeo. Ahí está el centro de atracción pero lo que se mueve a su alrededor, las otras mínimas tentaciones conforman una atmósfera especial.

Antes de 1959 en los clubes gallísticos de cada municipio o en vallas más modestas de bateyes y poblados, y ahora en condiciones precarias y de clandestinaje, las peleas tienen un atractivo enorme.

Antes, mucho antes de que comiencen, se está jugando siló, barajas, cubilete. En esta casa pobrísima del barrio de Mantilla, al sur de La Habana, hay ger te de Cuba entera. Es decir, de casi toda Cuba. Llegaron, comenzaron a llegar sobre las 8 de la mañana. Unos traían extraños paquetes y sacos y jabas y maletines y alforjas y catauros y pañuelos con nudos y serones.

Venían desde todos los barrios de la capital porque La Habana está llena de gente del interior del país y ahora en los 90, en 1996, las peleas de gallo siguen prohibidas pero, realmente, «la policía se hace de la vista gorda», dice Tiburcio Ávila, de 56 años, de la zona de Camagüey, que llegó a la capital en 1962 y trabajó aquí como chofer hasta que se retiró por enfermedad, hace unos meses.

Con los claros del día y las primeras coladas de café se empezó a regar aserrín fresco en el pequeño ruedo, mezclado con guano de Pinar del Río. El bohío circular se cobijó en diciembre y los bancos son de tablas de palma. Ya no es nuevo pero no es viejo y a veces llega el olor de la madera recién cortada, ese repunte de monte amputado que es como un timbre de alarma en la memoria de los guajiros.

Se está vendiendo ya, bajo las tres matas de mango que disimulan levemente la valla, jugo de naranja y pan con lechón, timbas de dulce de guayaba y queso, empanadillas, torticas de Morón, tamales, tortillas, pizzas, rodajas de piña, mameyes, fruta bomba y tamarindo.

Para el almuerzo se anuncia congrí y carne asada (un plato caro y peligroso), arroz con pollo y yuca con mojo, cascos de guayaba y queso. Hay cerveza fría, de botella y de lata, nacional y «de afuera», ron de la libreta, siempre problemático y regañón, pero también Guayabita del Pinar y Paticruzao, casi al precio que lo vende el Estado en las tiendas de divisas. Alguien vende medias y pulóveres, llaveros y gorras con los colores de las Grandes Ligas.

Hay gente con buenos ejemplares de gallos de Alquízar y de Bejucal. Llegó, desde anoche, un tipo de Limonar con dos *fieras* y un camión de dinero. Anda por aquí también gente de Candelaria y de Guanajay y unos cuantos guajiros *cepillados* de Fanguito, Guayos, Colón y Camajuaní.

Todo lo que se vende es particular, como «el patio de la casa». El dueño cobra 10 pesos por la entrada a la valla y tiene su negocito de café y comidas, donde trabajan la mujer y los tres hijos.

Se llama Antonio León Cabezas y nació «allá por el 32», en Cueto, «por la vuelta de Holguín, aunque después me asenté en Cabaiguán», en Las Villas.

A La Habana llegó con la revolución y se metió en este rincón «provisionalmente». Y aquí se quedó, siempre esperando algo que no sabe a ciencia cierta qué es.

—A veces me daba por irme para Estados Unidos, por embullo o lo que fuera pero allá no tenía a nadie que me reclamara y se me hizo difícil. Además, yo aquí siempre he inventado y a pesar de algunos problemitas con la policía he ido flotando. La vallita de gallos es un negocio redondo y hasta ahora voy viento en popa. Yo reparto su dinerito bobo a dos o tres gentes y aquí no pasa nada. Vamos a ver, un día de estos, a *éste* le da por otra cosa y nos embarcamos. Un día de estos *este* hombre se levanta con el moño vira'o y nos mete mano. Eso es así, mientras tanto vamos viviendo, con susto, pero viviendo. Ahora, un día de estos, *ese* hombre nos pela como a esos pollos que están hirviendo allí.

A las 11 de la mañana comenzaron las peleas. Se casaron ocho. Entre vendedores, galleros y curiosos puede haber en el patio, el jardín —un solo rosal empecinado—, el portalito y la casa, unas 80 personas.

—Acuérdense —grita Antonio—, es el cumpleaños de Nancy, mi mujer y todos somos medio parientes, y estas peleítas son de charra, para entretenernos.

Luego se vuelve y comenta en voz baja

—Eso es para estar tranquilo, nadie se lo va a creer. Allá atrás se está jugando una cantidad de dinero que no cabe ni en tres estaciones de policía.

Papa para todos

Hace un año que el Papa vino y se fue. En los ámbitos de la iglesia católica su presencia es una fuerza viva y creciente. El gobierno utilizó su viaje y lo borró enseguida. El hombre de la calle observa y metaboliza el mensaje de Karol Woytila.

Así es. Cada grupo o sector recuerda y utiliza al Papa que vio y sintió o que quiso ver y sentir.

En los 12 meses que transcurrieron desde aquella invasión de terciopelo, la iglesia se hizo más vigorosa. Su labor desbordó los templos y las homilías de Juan Pablo II se recuerdan en todos los púlpitos.

El viaje también tiene a la jerarquía católica en una situación comprometida. Al ver el apoyo y la fuerza real del Sumo Pontífice, algunas franjas de la sociedad comenzaron a pedir a la iglesia definiciones y alternativas que violan el horizonte del trabajo de los religiosos.

La iglesia católica es el único núcleo de la sociedad cubana que ha alcanzado un espacio importante de plena libertad y auténtica autonomía, en medio del mundo cerrado del socialismo, y esa circunstancia provoca que su desempeño diario sea monitoreado con esmero e, incluso, con esmero policial.

De todos modos los días del Papa en Cuba vistos desde el año que pasó dejaron en los católicos una espiritualidad y un poder que les ha permitido expandir su labor por todo el territorio nacional. Parece que tiene razón un periodista que trabaja para una de las 23 publicaciones de la iglesia. A él le gusta citar esta frase del Papa: «El espíritu sopla donde quiere. Quiere soplar en Cuba».

El gobierno, por su parte, en los discursos y en la prensa oficial, minutos después que el avión de Juan Pablo II despegó de Rancho Boyeros lo devolvió a donde lo había mantenido siempre, es decir, a Roma y al olvido.

Ya se había dado para las autoridades la función propagandística del año (¡Del fin de siglo!) con unos tres mil periodistas en la isla testigos de que aquí no pasa nada.

Sólo que ese escrutinio mediático trajo también problemas para las autoridades. Es cierto que se usó el viaje del Sumo Pontífice para dar una imagen de normalidad, sobre todo ante Europa. Pero las cámaras y los micrófonos encontraron zonas más oscuras y pobres de la sociedad. Las voces y los rostros de la oposición interna. Al año de la visita para el gobierno debe ser un recuerdo ambivalente, **de** éxito e irritación.

De todas las frases célebres que Karol **Woytila** dijo en Cuba, hay dos que permanecen en la conciencia del cubano de la calle, del hombre de bicicleta, y libreta de racionamiento.

Una es: «Que Cuba se abra con todas sus magníficas posibilidades al mundo y que el mundo se abra a Cuba». Los más agudos y radicales de inmediato le enmendaron la plana al Jefe de la iglesia católica proponiendo este añadido: «Que Cuba se abra a Cuba».

La otra es: «No tengáis miedo». Claro que el asunto va mucho más allá de las frases, sus significados y correcciones. Se trata de que el hombre, el Papa, el ciudadano polaco Karol Woytila trajo un mensaje diferente para quienes no son religiosos ni miembros del gobierno, para quienes están enfrentando la vida todos los días, con sólo sus dos manos.

Ese mensaje civil, democrático, de concordia y claridad es el que recibió el padre de familia, el profesional asfixiado, la mujer que se afana por resolver la ropa y la alimentación de los hijos, la gente llana, atiborrada de discursos de guerra y resistencia, y del lenguaje castrense de cuatro décadas.

Esa línea diáfana de pensamiento, esas palabras sencillas abrieron para muchos otros caminos que no pasan por las dos vías obligadas de los cubanos: La resignación o el exilio.

No quiero asociar ningún gesto cívico de los últimos tiempos a los recados pastorales de Juan Pablo II. Quiero decir que algo ha cambiado desde aquellos 5 días de enero y que la dimensión del cambio está en la categoría de la interiorización y reflexión de cada cubano y siempre será un enigma.

raúl **rivero**

A 12 meses del viaje, la figura del señor Woytila está flotando en el país. No sólo en los carteles que las familias se empecinan en conservar en las fachadas sino en la voluntad de quienes —con una variada proporción de miedo— tratan de hacer algo para que Cuba se abra a Cuba.

Rehenes para la **dictadura**
del proletariado

Lo más doloroso y molesto de la vida bajo la represión no es el golpe, el maltrato y la cárcel, sino el puño en el aire, la ofensa en el directo y el ruido permanente de las llaves del calabozo en la memoria. Ese es el condimento de la cotidianidad con el que se aprende a convivir mientras llega la prisión o el exilio. Entonces, cambian las calidades del dolor y son otras las molestias.

Este verano una docena de opositores pacíficos y periodistas que trabajan fuera del control estatal fue arrestada, según versiones de las víctimas, para evitar disturbios en una procesión de la virgen de la Caridad del Cobre.

En un caso aislado, el corresponsal Juan Antonio Sánchez fue remitido a una celda de la Seguridad del Estado, en la provincia de Pinar del Río, donde permaneció seis días. Salió sin que se le formularan cargos.

Estos episodios, tan diarios durante los tres años anteriores, se convirtieron en noticia y fuente de alarma y desasosiego porque en 1998, después del ya famoso y difundido viaje del Papa a Cuba, la represión había disminuido, o se había disimulado en el escenario nacional.

Los aires de fin de siglo diseñan un mundo singular para los disidentes y para la mayoría de los hombres y mujeres del periodismo alternativo.

Se vive en una tierra de nadie porque se ha rechazado el terco mandato del gobierno, una superficie sobre la que se quiere respirar pero no aparece definida todavía ni siquiera en muchos de los proyectos políticos renovadores con los que se sueña.

Existe la voluntad de cambio, pero se trabaja en el suelo resbaladizo de una sociedad civil con fronteras, que todavía no se abre, en una línea divisoria y de equilibrio.

Estos grupos que, a pesar de la represión, los encontronazos, picardías y menosprecio, crecen y se hacen estables y estructurados, trabajan en condiciones de rehenes porque de todos los ciudadanos que sostienen posiciones críticas y de oposición al gobierno son los que están a mano, tienen nombres y apellidos, hijos, hermanos, padres, seres tangibles que la policía usa para presionar.

De modo que los primeros meses del año, con su presunción de inocencia y de tolerancia, puede servir de guía al tiempo que viene, futuro inmediato. La ola represiva de septiembre, como advertencia y señal del puño en alto y del movimiento de las llaves de los calabozos.

Hay muchos compromisos internacionales, se avecinan reuniones y visitas muy importantes y las inversiones extranjeras tienen que seguir apuntalando el capitalismo barato que se instala aquí para poder continuar la marcha triunfal del socialismo.

Lo mejor, entonces, es combinar con elegancia y desenvoltura el miedo y la amenaza con incursiones severas en momentos precisos.

Así parece que será la nueva fórmula. Los rehenes, en su acoso, suelen ser buenos para los jeroglíficos y las trampas.

Los cambios siguen. Los rehenes, se dice también, desarrollan un sentido especial para la creatividad y adquieren técnicas específicas para fraccionar y medir el tiempo.

Asuntos **familiares**

Los cubanos llevamos casi cuatro décadas descubriendo lazos de familia en el mapa del mundo. Así tenemos, hemos tenido, hermanos y amigos en Kirguizia, Hue, y en Conakry. Pero los verdaderos, los reales, la gente de la sangre y la calle está lejos de nosotros.

Ahora resulta que es en Surinam y en Granada, en Jamaica y Haití y en ese semillero de bellas islas mínimas del Caribe donde hemos encontrado, por fin, nuestro legítimo entorno hogareño.

Ya no importa el curso de la vida de los hombres y mujeres de Budapest y Sofía, de Minsk y Cracovia que según la prensa y el gobierno era nuestra familia y recibía en discursos y artículos el tratamiento pomposo de «hermanos eternos».

Duró unos años esa eternidad. Y la papelería que trató de sembrar el afecto forzado en la isla es sólo una parte de la memoria fugitiva.

En los años de hermandad con Europa del Este, las islas de este ámbito, los países de América, España y el sur de la Florida, por ejemplo, eran como estampas del pasado, unas visiones en los límites del olvido y la frivolidad.

Vino después el momento, siempre conducido por el capricho y las necesidades del Estado, de volver la atención sobre esos territorios y rescatar, tratar de rescatar toda la sustancia que el oportunismo, el júbilo y el engaño había convertido en sitios peligrosos.

Ha sido y sigue siendo un regreso desconcertante y demoledor, a veces teñido de humillación y siempre doloroso pero nunca plano.

En ese ejercicio de trauma y desafío ha estado la sociedad cubana en los 90, cuando para el fin de siglo se anunció el delirio caribeño: ahora tenemos los líderes de esta región y hay que abrazarse a los nuevos hermanos eternos.

Confieso que me gustaría, cómo no, hallar un contacto fraternal en un barrio de Montego Bay, donde siempre quiso llegar José Lezama Lima. Pero primero quisiera que mi hermano Humberto, que está en Toronto, pudiera vivir y trabajar decentemente junto a mí, en La Habana.

Estoy seguro de que podría querer, como a una hija, a cualquiera de las inteligentes muchachas granadinas que ya se preparan en Cuba para estudiar carreras universitarias. Claro que para mí lo mejor sería que mi hija Cristina pudiera estar conmigo en libertad y sin penurias, sin el estigma de mi apellido, en la ciudad que ama.

A lo mejor, impulsado por la nueva convocatoria fraterna, puedo hacer relaciones con un músico de Guadalupe pero extraño las veladas y las descargas cubanas con Arturito Sandoval, las sesiones de poesía con Donato Poveda y el sonido, sí eterno, del saxofón de Paquito D'Rivera.

Quizás llegue a admirar a un actor de la isla de San Vicente pero sufro la ausencia de los vicios de dicción de Orlando Casín, la cubanía de Reinaldo Miravalles y la simpatía y el cariño de Julito Martínez.

Un severo historiador de Martinica podrá conmoverme con un análisis de la realidad del Caribe pero Manuel Moreno Fraginals no está más en su casa de Playa escribiendo la verdadera historia de Cuba, inmenso y sabio, dispuesto a explicarlo todo.

Habrá, desde luego, simposios, encuentros, saraos políticos y cumbanchas antiimperialistas con talentosos escritores de Puerto Rico y República Dominicana pero no están en Cuba Heberto Padilla, Guillermo Cabrera Infante, Daína Chaviano, Zoe Valdés, Andrés Reinaldo, Carlos Victoria, Reinaldo Soto, Bernardo Marqués, María Elena Cruz, Roberto Luque, Pío Serrano o Manolo Díaz y otros amigos de verdad que andan por el mundo.

Esta es la época de abolir por decreto otros afectos. Es el momento histórico del Caribe y hay que ser majestuosos y espléndidos con la nueva familia. Generosos, vehementes para que el enlace vuelva a parecer definitivo.

Que conste: ahora hay que amar a los pueblos del Caribe. Ya está a punto la tinta para el torbellino a pesar de que los cubanos aprendieron que el cariño no admite contrabandos.

Cumbres **lejanas**

Se sabe que este es el Estado del *hortelano* porque ni produce ni deja producir. Sólo que ahora se hace más severo y contrata policías para reprimir a quienes merodean por su huerto esmirriado.

Es cierto que los robos, los asaltos, las estafas, asesinatos, arrebatos y actos de raterismo tienen al país en medio de una crisis moral. Pero también se sabe que la fuerza es un medio superficial que suele ser peor que la enfermedad.

Creo que para airear la atmósfera infestada de la Cuba de hoy no hace falta librar una convocatoria para reclutar a miles de policías sino liberar la iniciativa individual, abrir las estructuras de la sociedad para que los cubanos puedan ganarse la vida decentemente. Tiene un toque sádico el ejercicio de imponer reglas rígidas, controlar todos los recursos del país, incluyendo la fauna de las aguas territoriales, prohibir hasta la pesca en represas, decidir el destino de los mangos del patio de tu casa (*que no es particular*) y después perseguir y encarcelar porque se tiene la pretensión de alimentarse y alimentar a la familia.

Todas las sociedades tienen su permanente asignación de delincuentes. Y el examen de ese fenómeno y sus causas pertenecen al dominio de las Ciencias Sociales. Esos grupos se enfrentan con un cuerpo de agentes profesionales, con rigor científico, métodos y técnicas modernas e implacables.

Aquí se trata de otro asunto. Se está masificando la policía porque los hechos delictivos desbordan la capacidad de los profesionales. Esa marea de desorden, indisciplina y desesperación por apropiarse de lo ajeno, por obtener a cualquier medio recursos para subsistir es la que tiene la raíz en los candados y cerrojos que ha dispuesto para la sociedad el Estado, que es amo absoluto de la República.

Cuando dije que el remedio será peor que la enfermedad estoy pensando en que los nuevos policías provienen de las zonas rurales, en su mayoría, donde las condiciones de vida suelen ser muy duras. El joven de Marroquí, Antillas, Ceiba Mocha y Quemados de Güines prefiere venir a La Habana a patrullar de uniforme y pistola a permanecer en los sembradíos por un jornal de 20 pesos diarios, es decir, un dólar.

Aquí será «dignamente remunerado», dice la convocatoria que por estos días lanza en primera plana la prensa oficial. Y, además, ante las autoridades habrá elegido «una opción para hombres firmes, de convicciones patrióticas», según la propuesta del Ministerio del Interior.

Un policía profesional y experto produce sosiego en la población pero un advenedizo sin técnica ni formación crea inquietud. Y ese es el sentimiento que me parece adivinar entre los ciudadanos que ya comienzan a moverse en la ciudad dominada por una presencia policial avasalladora, en la que muchos observadores han visto segundas y terceras (algunos primeras) intenciones.

Así está planteada la nueva batalla: entre segmentos humildes de la sociedad mientras continúan intactos y distantes las raíces y las cumbres.

raúl **rivero**

Mujeres al borde...

Desde mi celda podía ver a Tania Quintero, el rostro escamoteado por las líneas de hierro de la reja. Escuchaban la voz ronca de Odalys Curbelo y presentía a Dulce María de Quesada, quieta y silenciosa, sentada al borde de la cama de cemento gris.

Cerca de ese sótano oscuro donde estábamos, se celebraba el juicio de los cuatro integrantes del Grupo de Trabajo de la Disidencia Interna[1].

Tania quiso asistir porque es prima hermana de Vladimiro Roca. Odalys porque lo iba a cubrir como periodista y Dulce María, bibliotecaria retirada, activista de un grupo opositor, porque se sintió en el derecho de tener un gesto de solidaridad con los acusados.

Yo, que estaba encerrado con ocho presos comunes —peligrosidad, proxenetismo, abuso lascivo y asalto a mano armada— también quería seguir la vista oral como comunicador, como ciudadano cubano y como amigo de los cuatro intelectuales que estaban juzgando.

Desde luego que fueron muchas las ideas que pasaban por mi cabeza y muchos los sentimientos que experimenté en esas 30 horas de calabozo. Pero con el paso de los días queda la vergüenza, la pena, el bochorno, la tristeza por Cuba, en un sitio prominente de la memoria.

¿Qué hacen —me preguntaba— tres mujeres cubanas profesionales y decentes en una celda de una estación de policía?

¿Qué pasa en Cuba que tres hijas de este país, de diferentes generaciones y de distinta formación y origen político tienen que ser arrestadas en las calles y puestas en una cárcel con unas jóvenes acusadas de prostitución, y otra mujer involucrada en un robo con fuerza?

Al margen de mis flaquezas corporales y las crisis de la servidumbre de mis hábitos, creo que sentí más molestia y dolor por la prisión de mis tres amigas que por la mía. Porque percibí su castigo como un símbolo, como las anticipaciones de una hoguera sacrificial.

Tania y Odalys —al igual que Marvin Hernández, que ya llevaba 48 horas presa y en huelga de hambre, en Cienfuegos— con este ejercicio del periodismo alternativo dentro de Cuba están dando un pequeño recital de profesionalismo, entereza y rigor.

Me faltaba todavía, unas horas después de quedar en libertad relativa, un encuentro singular con Marta Beatriz Roque Cabello.

De repente está en la sala de mi casa. La brillante economista que ama la poesía y la buena música está pero con su uniforme de presa y en la pantalla del televisor, mientras un adusto locutor la insultaba diciéndole apátrida y marioneta del imperio.

Como la visita de Marta se producía de forma tan peculiar no puede comentar con ella una nota que me envió desde la prisión de Manto Negro, a fines de 1998. —Aquí estamos —decía —, sin ninguna solución a vistas pero con mucha fe en Dios porque para él no hay nada imposible.

Marta me pedía algo. «Quiero que me recopiles algunos materiales sobre la globalización neoliberal y la crisis financiera asiática. Quiero dejar plasmados mis criterios sobre el tema.

»Saluda a Blanca y dile que recuerdo su buen café. Ojalá Dios permita que pronto pueda volver a tomarlo, sentados juntos en la sala de tu casa».

En verdad, la entrada de Marta en Cuba este año ha sido inquietante y extraña.

Estuve con Tania, Odalys y Dulce María en un calabozo y Marta Beatriz fue a mi casa y no pude ni brindarle café.

Internet y el indio **Hatuey**

La noticia de que un líder aborigen cubano —el cacique Hatuey— fue quemado vivo en una crepitante hoguera colonial se publicó en Europa tres siglos y medio después del suceso.

Los piadosos españoles que dieron fuego al indio rebelde (que, por cierto, venía de tierras dominicanas) para conseguir que este fuera directamente al cielo no tuvieron que enfrentar la crítica de sus contemporáneos ni la justicia porque ese episodio demoniaco, a pesar de las llamas, se desarrolló en las sombras.

La historia de las Indias, redactada por fray Bartolomé de las Casas, cronista esencial del suplicio, se editó en Madrid en cinco tomos entre 1875 y 1876. El sacerdote inició su escritura en 1527, cuando era Obispo de Chiapas.

Si la llegada de los conquistadores a esta zona hubiera estado precedida, como suele pasar hoy, por una carabela mediática, el proceso de colonización y exterminio de las comunidades autóctonas seguramente habría tenido otro curso.

Estoy convencido de que si en algún camarote de La Pinta, La Niña o La Santa María hubiesen ve-

213

nido también unos señores pertenecientes a la Real Comisión Pontificia de los Derechos Humanos, el desarrollo de aquel proceso en los que unos hombres le impusieron por la fuerza su filosofía y sus costumbres a otros hubiera sido diferente.

No quiero seguir con esta especie de periodismo de ficción porque entre otras cosas lo estoy haciendo en la lengua de aquellos hombres que venían del mar y porque también comienzo a dar noticias viejas.

Hablo de estos asuntos porque la oscuridad, el silencio, los seudónimos, las máscaras y la lejanía constituyen el paraíso de los verdugos de todos los tiempos.

De ahí la importancia ya no de la transparencia que siempre puede ofrecer algo de irreal o borroso sino de la desnudez, de la luz absoluta en cada encrucijada de las sociedades modernas, donde los intolerantes, los prepotentes, los corruptos, los dogmáticos y sus sirvientes imponen su voluntad.

La presencia de unos tipos impertinentes con sus cámaras y sus preguntas, sólo el anuncio de que llegarán, dispara una alarma en los infractores de todas las categorías. Porque podrán delinquir, acosar, agobiar y aplastar pero quedarán fotografiados, descritos y fijos en sus gestos terribles.

No es el periodismo una embajada de Dios. Pero una comunidad o un país sin prensa libre puede convertirse en un campamento militar o en una parcela de la arbitrariedad.

Las autoridades cubanas siempre en la búsqueda de un decreto o una ley que paralice nuestro trabajo han comenzado a utilizar los medios de prensa para enfrentar graves problemas sociales internos. Hace poco la televisión nacional mostró unas imágenes de delincuentes, que aquí llaman ninjas porque asaltan camiones y vehículos en marcha en las carreteras. Los ladrones fueron sorprendidos en plena faena no por la policía sino por el periodismo y huían de las cámaras, saltaban cercas y pequeños barrancos para ponerse fuera del foco de los camarógrafos.

Eso puede ser una lección. Bajo el escrutinio del periodismo internacional, con esa solidaridad que va más allá de los comunicados y las notas de prensa, —sin proponérselo, sólo cumpliendo con el deber de informar— los medios de comunicación de todo el mundo están poniendo su impronta de civilización en la Cuba contemporánea.

Por fortuna ya no hay que esperar tres siglos y medio para que el mundo se entere o conozca una noticia. La ciencia ha puesto el Sena a dos cuadras de mi casa, el Ebro se ve desde mi balcón y a veces veo pasar pescadores que van a pie para el Mississippi.

En mis noches de insomnio, de preocupación y miedo miro el cielo de La Habana y me produce una sensación de serenidad y calma la estrella Polar, Orión, la Osa Mayor y la pequeña constelación de satélites que vigilan desde el espacio sideral.

La **vida** en rojo

Cuba no es una sola. Hay muchas. Una para la nomenclatura, y otra para los turistas, los diplomáticos y los extranjeros de paso. Estas dos se parecen mucho. Hay otro país para aquellos que no reciben ni uno sólo de los 800 millones de dólares que el exilio de Miami envía a la isla, cada año, y no tienen familiares en corporaciones ni en empresas mixtas: El hombre que vive con su familia del dinero nacional, sin acceso a las tiendas de dólares. Este texto habla de esas personas. Porque hay otras Cubas, más pequeñas y olvidadas.

Cuando un padre de familia se levanta al amanecer en la Cuba de fin de siglo, sólo tiene que enfrentar dos problemas: uno es el almuerzo, el otro, la comida.

La broma, más bien amarga, salió de los grandes sectores de la población en los primeros años de la década del 90. Va a entrar 1999 y ha ido perdiendo gracia. La situación no cambia y lo que fue una chispa se ha convertido en fuego lento.

El hombre de la calle, el que no tiene parientes en Estados Unidos, no está trabajando en una firma extranjera, no tiene amigos en una corporación, el cubano de bicicleta y salario en moneda nacional —la gran mayoría— tiene que acudir a tres verbos sospechosos para sobrevivir. Inventar, resolver y escapar.

Esa es la fórmula. —Yo invento porque un primo mío me trae jamones del interior y se los vendo a los vecinos, y a los amigos. Mi sueldo de maestro me alcanza para los diez primeros días, si acaso. Igual que los productos que venden por la libreta de abastecimientos. —Este es Fernando, tiene 38 años, está casado y es padre de dos niños, uno de 11 y otro de 6. Ela, su mujer, trabaja en el comedor de una fábrica y siempre trae algo, además de un sueldo de 118 pesos.

—La ropa y los zapatos de los muchachos es la tragedia. Yo no sé cómo pero yo invento, tengo que inventar.

Ese trabajo extra de Fernando lo convierte en un transgresor de la ley porque está prohibido en el país realizar ese tipo de comercio. El maestro lo hace y está fuera de la ley, por lo tanto, es cauteloso, se siente en falta con la sociedad. Una persona así no puede estar en disposición de enfrentar a las autoridades para reclamar un derecho o para exigir respeto. Miles de cubanos como Fernando, obligados a realizar faenas penalizadas, están apagados como ciudadanos.

Hay otra categoría más compleja, vinculada a la palabra resolver. —Los custodios de la fábrica se llevan los componentes. Yo hago la pintura en el patio de la casa de un amigo y resuelvo. Me busco unos mil pesos al mes. Es riesgoso. Tengo la libertad en un hilo pero resuelvo lo de mi familia y me alcanza para, de vez en cuando, tomarme una cerveza.

Joel dice que la política no le interesa. Tiene 30 años y se siente bien. Inquieto pero bien.

Escapar es otra cosa.

Rolando Álvarez, casi en los 70, escribió durante tres décadas muchos elogios a la sociedad socialista. Todavía ama el periodismo, ya se jubiló y recibe 169 pesos mensuales.

—No me arrepiento de nada de lo que escribí. Cuando lo hice creí sinceramente en el proyecto y sigo pensando que tiene cosas bellas y que ha transformado nuestra sociedad. Ahora, individualmente, en la vejez, escapo porque ayudo en una Paladar, friego, sirvo mesas, lo que sea. Y al final me llevo algo de comer o unos pesitos. Somos mi esposa y yo —dice en su pequeño apartamento de Centro Habana— y para hacer una comida de arroz y frijoles, sólo eso, sin vegetales ni carne invierto casi la mitad de mi sueldo. Una libra de frijoles negros vale 20 pesos. Una cabeza de ajo, 4. Un montoncito de ají, otros 4. La cebolla 10 el mazo y el arroz, 5 la libra. Necesito aceite y lo tengo que comprar en la tienda que vende por dólares. Entonces allá voy y cambio 50 pesos porque la botella me sale en 2,40 de dólares. Ya está. Entre 80 y 85 para una comida de dos perso-

nas. Pero estamos tranquilos. Tenemos lo nuestro. Yo estoy conforme.

Camellos en el Caribe

El socialismo que ama la uniformidad ha tenido que hacerse flexible en estos tiempos. El transporte en Cuba comienza con la bicicleta, sigue con unos triciclos criollos llamados *bicitaxis* e incluye unos camiones gigantes con cabina de ómnibus que son los llamados *camellos*. Termina por todo lo alto con taxis Mercedes-Benz.

En materia de autos el cubano llega hasta el Lada ruso. En ocasiones puede movilizarse en Pegeuts franceses porque la flotilla de la patrulla de la policía acaba de adquirir, sobre todo para Ciudad de La Habana, un lote de modernos carros de esa marca. Las rutas de ómnibus han eliminado más del 50% de sus viajes y los vehículos viejos y desvencijados por el rigor del clima y el mal estado de las calles se van sustituyendo a cuenta gota por donaciones de vehículos que vienen de España, aunque se pueden ver en circulación a menudo máquinas de Holanda, Noruega, Suecia y unos camiones rusos, con pretensiones de ómnibus, que prestan servicios en fábricas y grandes centros de trabajo.

En 1996 comenzaron a reaparecer en el escenario los automóviles norteamericanos de los 40 y 50, ahora con injertos de motores de petróleo. Estos taxis especiales cubren importantes itinerarios en la capital y pueden montar hasta seis pasajeros. El precio es de 10 pesos cubanos. Es frecuente hoy ver uno de aquellos lujosos Cadillacs que importaba la burguesía local renqueando por una avenida y dando su aporte a la polución con una gran columna de humo negro en el tubo de escape.

También, en las zonas rurales, se han adaptado los viejos vehículos de carga para pasajeros y hacen viajes entre las cabeceras de provincia, municipios y pequeños poblados.

—Si hubiera dedicado el tiempo que he perdido en estos años esperando una guagua o algo en que trasladarme sería doctor en Ciencias o un erudito. Son horas y horas pero al final se llega —comenta el veterinario Alfredo Vargas.

Los turistas, los extranjeros de paso y el incipiente grupo de isleños que tiene dinero pueden usar por lo menos tres categorías de taxi. Desde el siempre agresivo Mercedes hasta uno sencillo, el Citroen petrolero, más barato y aplatanado. Cuba tiene también, en dólares o en su equivalente al cambio en moneda cubana, los choferes de autos de alquiler más cultos de América Latina. Una ola de centenares de profesionales retirados o que sencillamente renunciaron a sus puestos en el gobierno lo lleva a cualquier sitio de la ciudad. De ahí que pueda un turista pasear por el Malecón de La Habana sumergido en un espeso debate sobre filosofía, arte o economía. O recibiendo una lección de ortopedia, marxismo y cibernética.

Ciro Trueba desliza su Moskvich ruso por la céntrica avenida 23, en la zona de El Vedado.

—Hace 27 años que me gradué de arquitecto. Gano 340 pesos. Estoy obligado a pasarme dos o tres horas al día de taxista. Un par de zapatos vale 250 y un aguacate vale 10.

Espíritu y **materia**

En Cuba, con excepción de unos cuantos propietarios de pequeños restaurantes de doce sillas y de mínimos establecimientos de café, pizzas y dulces caseros, el gran patrón es el Estado. También, mitad en broma, y mitad en serio, se dice que ahora cuando un cubano se interesa por una plaza laboral no pregunta cuánto va a ganar por el salario sino qué se puede robar.

Se ha instalado en la sociedad el llamado síndrome de Robin Hood: los pícaros que cada día se llevan algo de su sitio de trabajo, los que *resuelven* son vistos con simpatía. Su delito, su pecado, su proceder no se recibe en la comunidad como una falta, más bien como una forma de lucha por sobrevivir. De modo que estas personas son conocidas en Cuba entera como *luchadores*. Pícaros en la más ortodoxa tradición española. Gente simple y buena que se ha visto obligada a meterse en esa zona sombría de la vida «por el bloqueo americano», dicen los seguidores del gobierno. «Por el bloqueo del gobierno, por el Código Penal draconiano, por el afán de controlarlo todo, hasta los mares adyacentes y el aire que respiramos», dice Félix Velázquez, un activista de derechos humanos, de 50 años, desempleado, que vive «de la caridad de mi familia» en ese escenario de penurias muchas alternativas del robo, del delito en general tienen aceptación.

En noviembre un grupo de empleados del sector gastronómico de la provincia de Camagüey asaltó un banco y se llevó en vilo la caja de caudales, con unos 100 mil pesos, y esa misma semana se hizo público que el gobernador provincial era separado del cargo por malos manejos con unos miles de dólares. La corrupción, la picardía, el invento, la lucha tiene a la sociedad cubana de fin de siglo, a 40 años del triunfo de la guerrilla legendaria de la Sierra Maestra en una especie de pantano. En una trampa.

Avanza día a día una tropilla de lo peor del capitalismo pobre, africano, que se ha instalado aquí. Y las conquistas del socialismo real se disuelven en la ineficacia del sistema. La producción reumática, la agricultura sin despegue y la negativa de las autoridades a permitir que el hombre se quite el dogal del Estado y comience un proceso de soberanía individual.

Hay educación gratuita pero tiene un claro matiz de adoctrinamiento. «¿Quién construye los círculos infantiles (guarderías), las escuelas y los hospitales?», pregunta taimado un manual para niños de primaria distribuido al iniciarse el curso de 1998. «¿Qué pasaba en Cuba antes de 1959?».

— Yo no soy religioso pero no quiero que mis hijos se eduquen bajo ningún dogma. En esta época eso es un crimen. Educación, mucha educación pura y que ellos elijan después su color político. Basta ya de Lenin y de Marx y de cualquier otro pensamiento impuesto. Los niños deben ir a la escuela a prepararse para una profesión, no para servir a nadie ni a ninguna ideología —dice Carlos M., 32 años, empleado del gobierno.

Hay, siempre hubo en las últimas décadas una voluntad de las autoridades por ofrecer salud pública decorosa a la población. Una red de servicios cubre la isla, que tiene un médico por cada 400 ciudadanos. Ahora bien: la crisis económica, la ausencia del campo socialista y también, según los funcionarios estatales, el embargo norteamericano dejaron al sistema en ruinas. La Habana y otras ciudades importantes sufren periódicos embates de sarna y piojos, y surgieron varias enfermedades como la tuberculosis y el dengue. Y varias epidemias han producido víctimas en la población.

—Prefiero curarme con remedios caseros sin salir de mi habitación. Ingresar a un hospital es un tormento. Hay que llevar las toallas y las sábanas, el jabón y los alimentos. Después avisar a alguien en el extranjero para que te envíe las medicinas. Los médicos son buenos pero el servicio paramédico es un desastre. Pagan muy poco. Ahí falta de higiene y mala atención. Otro gallo canta en las clínicas de los extranjeros y los dirigentes. Pero allí no quepo yo. —agrega Eliecer, ferroviario, 52 años.

A este panorama **crudo**, hay que ponerle el ingrediente de que la gran masa vive sin información. *Granma*, un pequeño diario que publica el Partido Comunista traza las líneas maestras de la política editorial para dos canales de televisión que funcionan a partir de las 6 de la tarde y para la red de radioemisoras. Los cubanos que no pueden escuchar la onda corta tienen una visión parcial, amputada de los sucesos del mundo porque cada episodio recibe el tratamiento ideológico en los laboratorios del Departamento de Orientación Revolucionaria (DOR).

Como el Estado, ya se ha dicho, es el dueño de todo, se vive en Cuba en lo que se ha dado en llamar «doble moral», es decir, se piensa una cosa, se dice otra o no se dice nada porque opiniones encontradas pueden traerle al hombre común dificultades en su centro de trabajo, problemas con los Comités de Defensa de la Revolución (CDR) y la pérdida de la mediocre tranquilidad de una vida.

—Yo hago lo mío a mi manera. No me meto en líos políticos. ya bastante tengo con buscarme la comida. Tranquilo en mi casa, viéndolo todo, pero callado —Pedro Aguirre, custodio de almacén, 29 años.

El regreso de **Dios**

La zona más oscura de la trampa de fin de siglo es la que debía dibujar el futuro. La gente perdió la fe. Pero la perdió trabajando, haciendo guardias, gritando consignas en el sustento de un proyecto que ahora los deja colgados de la brocha.

Ya se sabe que se puede vivir 20 días sin comer pero ni uno solo sin fe. Cuba ha comenzado a volver a Dios. A diversos dioses. La iglesia católica y las religiones afrocubanas son las que han recibido en el último lustro el mayor número de creyentes. Se hacen colas de meses para bautizar a los niños. Crecen las sectas como Testigos de Jehová y los Rosacruces, los centros espiritistas se desbordan y los núcleos del Bajai y de otras denominaciones de la India y de Ceilán.

El hombre busca soluciones individuales porque no ve una salida para la sociedad. Esa salida está en el exilio: 20 mil visas anuales para Estados Unidos o en la fe religiosa, que permite ver un poco más allá del enojoso día de hoy, al que se ha llegado desde un pasado que muchos prefieren no recordar y del que el provenir es sólo una mancha negra o un paisaje borroso y ambiguo.

¿A **dónde** vamos?

Cuarenta años es un tiempo fugaz y difuso en la vida de una nación.

Más de tres generaciones de cubanos han nacido en estos ocho lustros. De aquellos sueños de redención humana que los victoriosos barbudos de 1959 entonaron a viva voz —y que si no estremecieron al mundo al menos contagiaron a millones de seres humanos— hoy no queda, ni siquiera, las cenizas o el polvo enamorado.

Atrapada en sus contradicciones, en una utopía sin límites, delirante y descabellada, la mayor de Las Antillas arriba al fin del milenio sin zapatos, sin techo, en harapos y con muchas varas de hambre entre pecho y espalda. Poco queda del socialismo real que hace una década todavía peroraba de desarrollo, futuro, calidad de vida y otras figuras retóricas de esa suerte.

Queda, eso sí, la pesadilla cotidiana de niños, mujeres, hombres y ancianos, atrapados y sin salida en un universo cada día más inasible para cada uno de los que habitamos esta isla. Todos los caminos, por esta vía, parecen cerrados. Y no se ilumi-

nan los cielos de la patria con la dosis de racionali-
dad y cordura que se podía esperar de un equipo
gobernante que sabe, como nadie, la pavorosa crisis que encara y en la cual se hunde y con él, la isla, de punta a punta.

Cuarenta años después Cuba —fragmentada,
rota, solitaria y de una pesadilla en otra— única-
mente puede aguardar por un milagro y no propia-
mente de la primavera. Aunque ya estos hayan
perdido todo su prestigio en esta época, sobre todo en el terreno de la historia, la política y las ciencias sociales.

Contenido

raúl **rivero**

Este libro
se terminó de imprimir
el día 19 de junio de 2003